「御宿かわせみ」名場面集

「御宿かわせみ」名場面集

江戸の子守唄

「酔いました。少し、風に吹かれてきます」

さりげなくことわって、東吾は廊下に出た。

すぐ後から足音がして、ふりむくと七重がついてくる。

「お帰りでしたら、お供しましょう」

東吾は慌てた。

七重はさっさと履物を出させて外へ出る。

「しかし、義父上の宴を中座しては……」

「かまいません、私、東吾様と少し、お話をして参りますと申して来ました」

きびきびした答えが、
東吾に小癪などという感じを呼び起した。

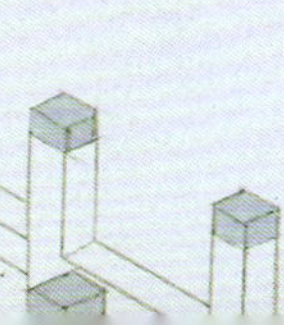

白萩屋敷の月

広い庭を埋め尽すような花の群であった。
花の白さと月光が夜の庭をほの明るくして、
そぞろ歩きにはこの上もない。
「実に見事です。花をこんなに
美しいと思ったのは、はじめてです」
それは実感であった。少くとも、萩がこれほど
月の庭にふさわしいとは知らなかった。
「一度だけ通之進様と、
萩の中を歩いたことがございますの」
東吾の耳のそばで、香月がささやいた。

「御宿かわせみ」名場面集

「御宿かわせみ」名場面集

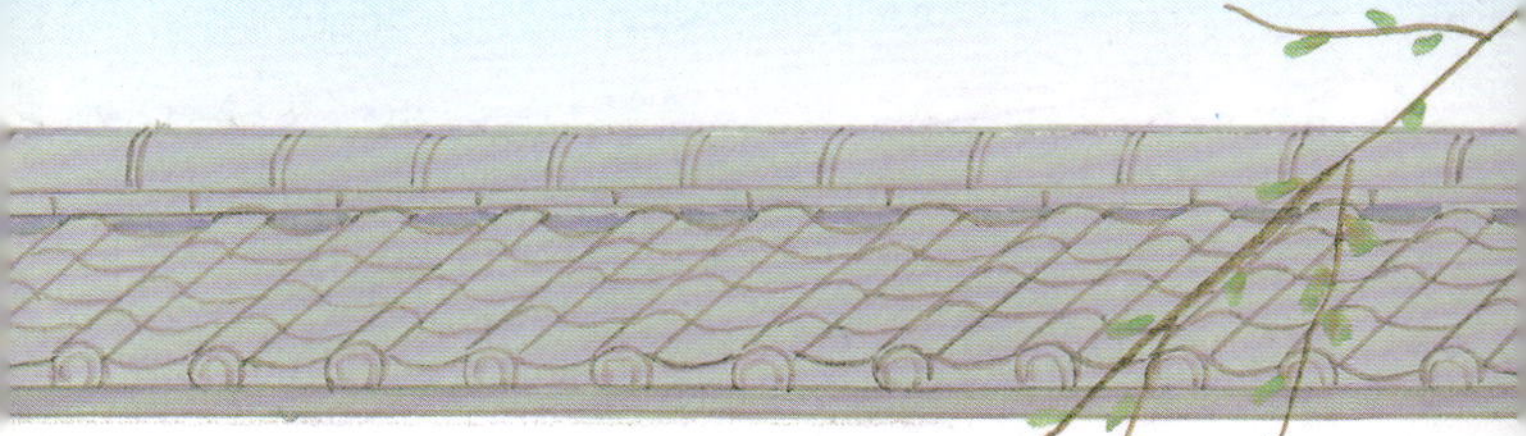

岸和田の姫

東吾は土に膝を突いた。

「これにてお別れを申します。末長く、お幸せに……」

用人や乳母が、東吾に頭を下げ、

行列は吸い込まれるように、下屋敷に入った。

見送っている東吾の耳に、

やがて聞えて来たのは鳩笛の音であった。

途切れ途切れに、しかし、懸命に花姫は鳩笛を吹いている。

春の夜の中に、東吾はいつまでも鳩笛を聞いていた。

「御宿かわせみ」名場面集

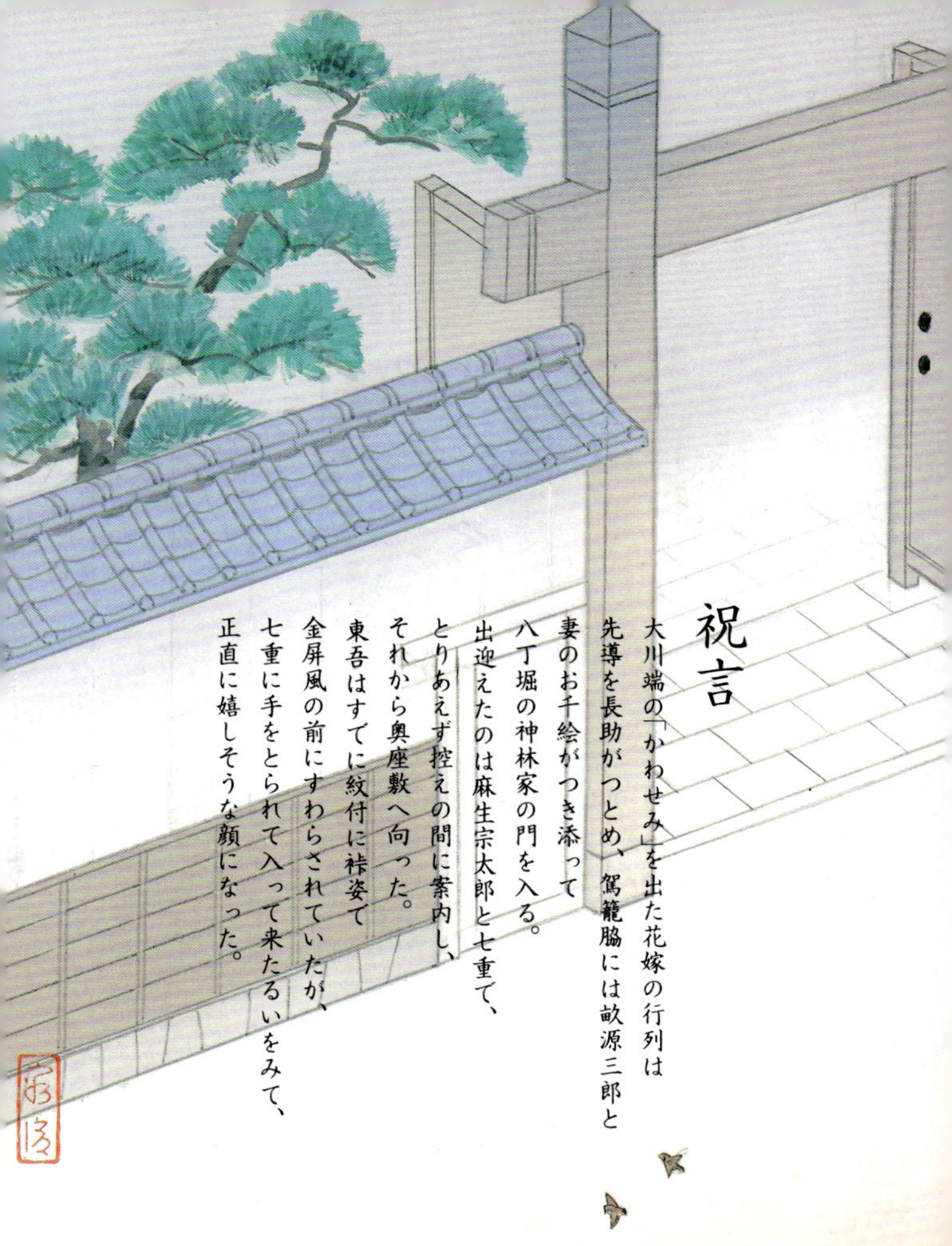

祝言

大川端の「かわせみ」を出た花嫁の行列は
先導を長助がつとめ、駕籠脇には畝源三郎と
妻のお千絵がつき添って
八丁堀の神林家の門を入る。
出迎えたのは麻生宗太郎と七重で、
とりあえず控えの間に案内し、
それから奥座敷へ向った。
東吾はすでに紋付に袴姿で
金屏風の前にすわらされていたが、
七重に手をとられて入って来たるいをみて、
正直に嬉しそうな顔になった。

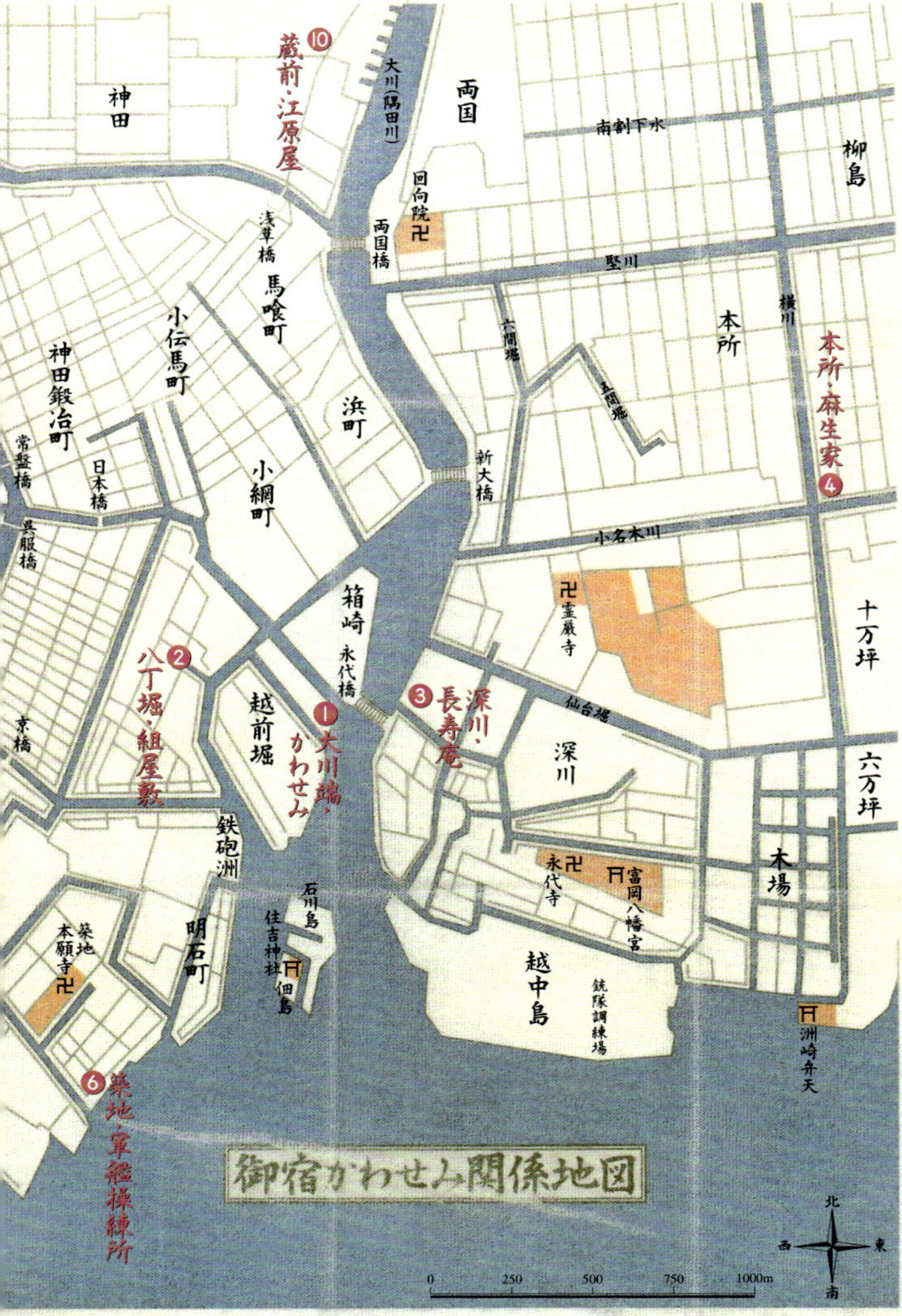
御宿かわせみ関係地図
⑩蔵前・江原屋
①大川端・かわせみ
②八丁堀・組屋敷
③深川・長寿庵
④本所・麻生家
⑥築地・軍艦操練所
神田
大川（隅田川）
両国
南割下水
柳島
回向院
両国橋
浅草橋
竪川
馬喰町
小伝馬町
神田鍛冶町
六間堀
本所
横川
五間堀
浜町
常盤橋
日本橋
小網町
新大橋
呉服橋
小名木川
箱崎
霊巌寺
十万坪
永代橋
仙台堀
京橋
越前堀
深川
六万坪
鉄砲洲
永代寺
富岡八幡宮
木場
石川島
住吉神社
佃島
明石町
築地本願寺
越中島
銃隊調練場
洲崎弁天
北
西
東
南
0
250
500
750
1000m

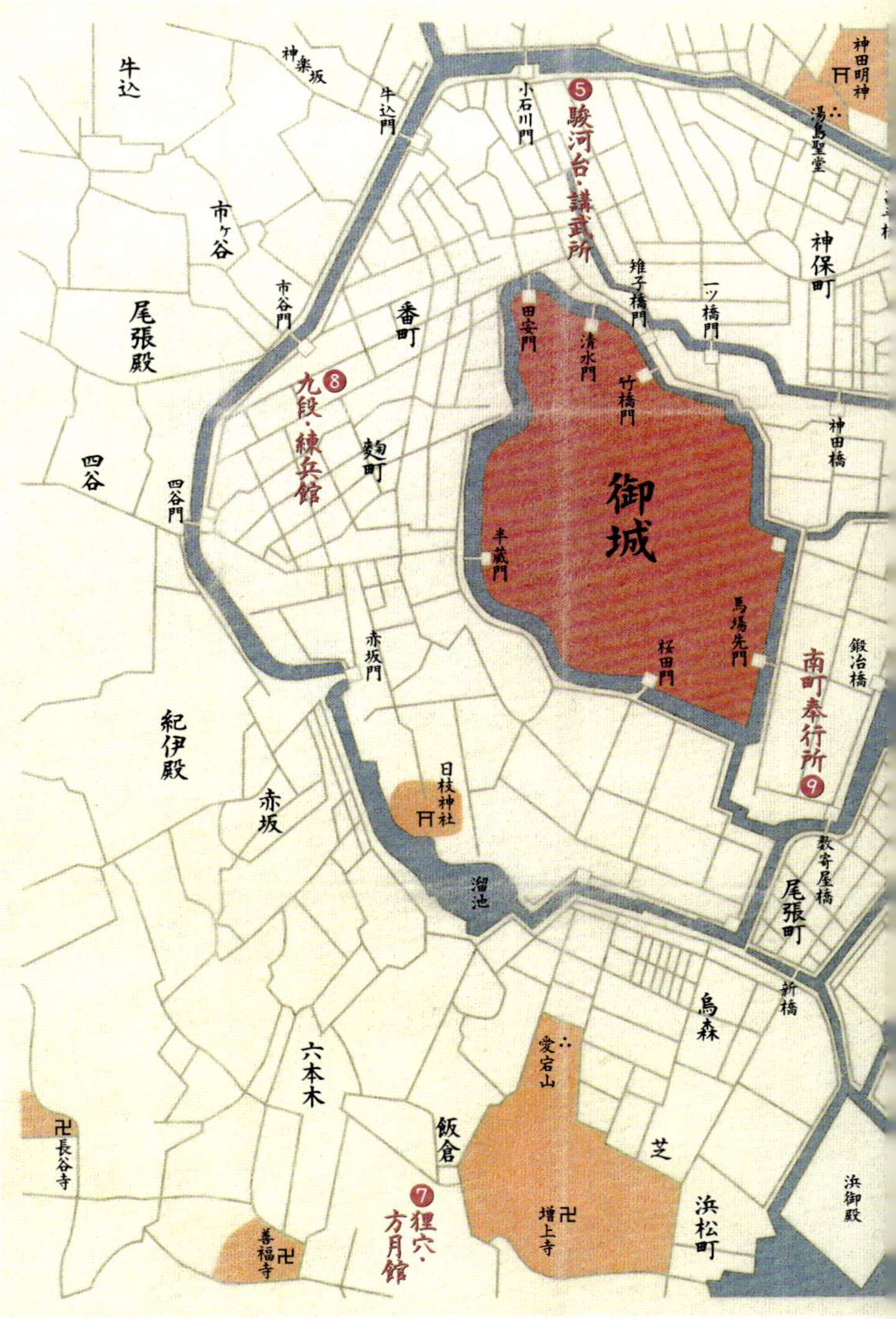

牛込
神楽坂
牛込門
小石川門
5 駿河台・講武所
神田明神
湯島聖堂
市ケ谷
市谷門
尾張殿
番町
田安門
清水門
雉子橋門
一ツ橋門
神保町
竹橋門
8 九段・練兵館
麹町
神田橋
四谷
四谷門
御城
半蔵門
馬場先門
桜田門
鍛治橋
南町奉行所 9
赤坂門
紀伊殿
日枝神社
赤坂
数寄屋橋
尾張町
溜池
新橋
烏森
愛宕山
六本木
飯倉
長谷寺
芝
7 狸穴・方月館
増上寺
浜松町
浜御殿
善福寺

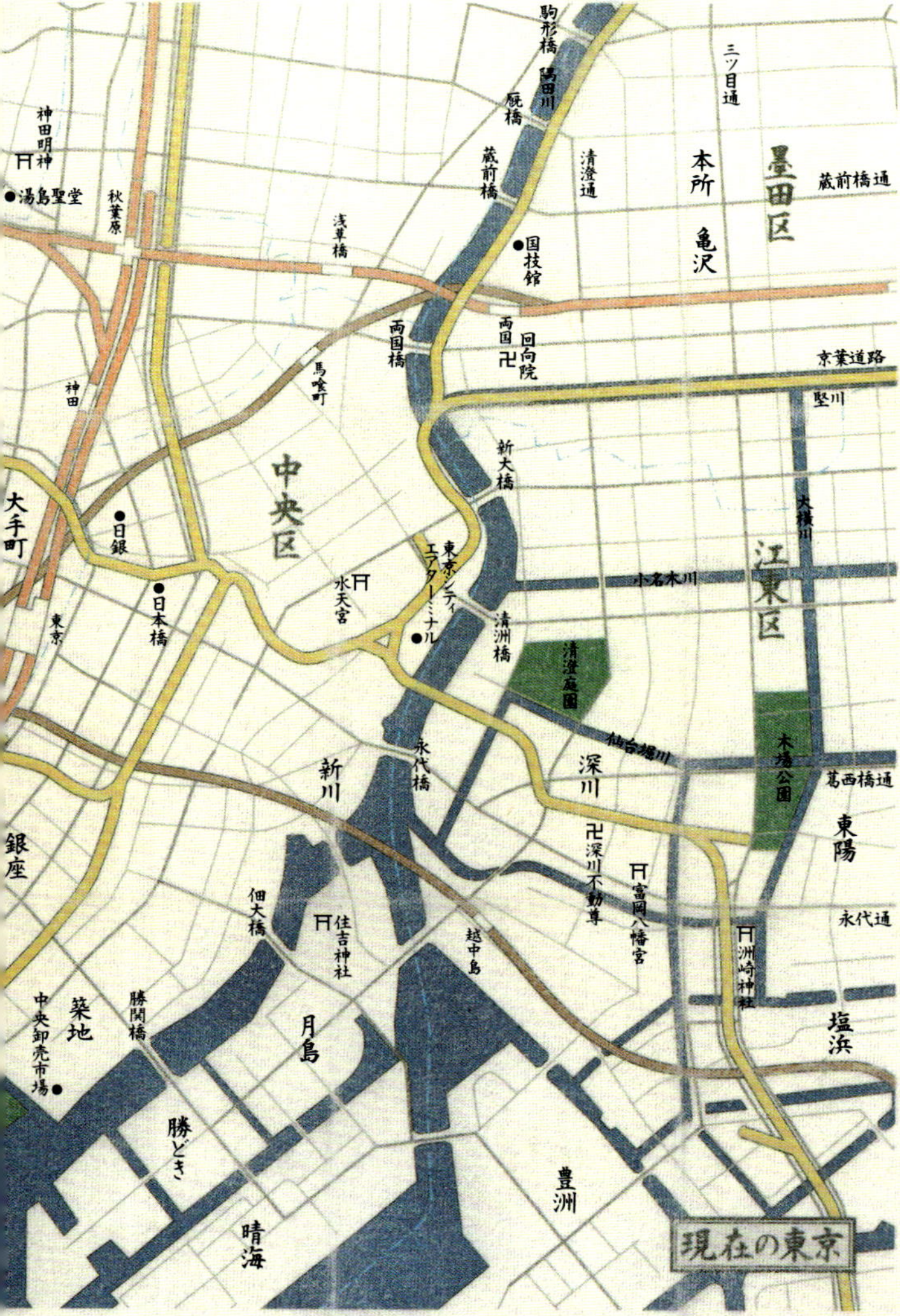
現在の東京
駒形橋
隅田川
厩橋
蔵前橋
三ツ目通
清澄通
本所
墨田区
蔵前橋通
神田明神
湯島聖堂
秋葉原
浅草橋
国技館
亀沢
両国橋
両国
回向院
馬喰町
京葉道路
竪川
神田
新大橋
中央区
大手町
日銀
大横川
東京シティエアターミナル
水天宮
日本橋
江東区
小名木川
東京
清洲橋
清澄庭園
仙台堀川
木場公園
永代橋
新川
深川
葛西橋通
東陽
銀座
深川不動尊
富岡八幡宮
佃大橋
住吉神社
越中島
永代通
洲崎神社
築地
勝鬨橋
中央卸売市場
月島
塩浜
勝どき
豊洲
晴海

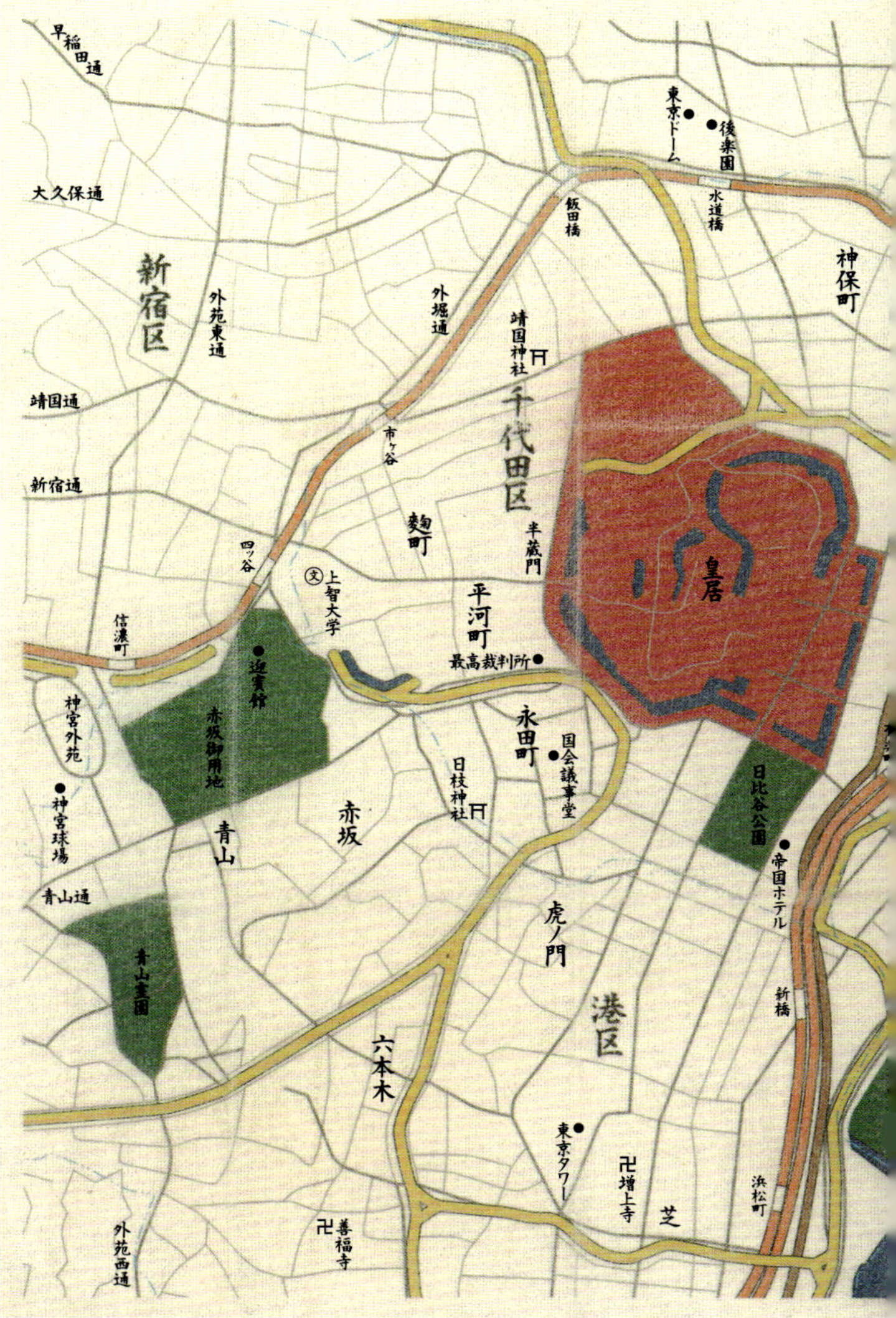
早稲田通
東京ドーム
後楽園
大久保通
水道橋
飯田橋
神保町
新宿区
外苑東通
外堀通
靖国神社
靖国通
千代田区
市ヶ谷
新宿通
麹町
半蔵門
四ッ谷
上智大学
平河町
皇居
信濃町
迎賓館
最高裁判所
神宮外苑
赤坂御用地
永田町
国会議事堂
日枝神社
日比谷公園
神宮球場
青山
赤坂
帝国ホテル
青山通
虎ノ門
青山霊園
新橋
港区
六本木
東京タワー
増上寺
浜松町
芝
善福寺
外苑西通

御宿かわせみ関係地図・解説

❶大川端・かわせみ

物語の中心、旅籠「かわせみ」は隅田川の下流、大川の河口にある。川に面して眺めが素晴らしいだけでなく、大川を上れば上野・浅草・向島といった江戸の名所めぐりにも便利だし、行き交う物売りの舟から食材を買い求めることもできる。ただ、心配なのは大川の増水。女主人・るいが、八丁堀同心だった父の死後、同心株を返上して使用人を連れ、宿屋稼業を始めたのだが、心尽くしのもてなしに、常連客もつき繁盛している。

❷八丁堀・組屋敷

八丁堀は町奉行所の与力・同心が屋敷を構える一大ゾーンだ。町与力や同心は髷の結い方まで粋で、颯爽とした姿は町人の憧れの的。東吾の実家である神林家は吟味方与力の家柄で、兄の通之進が職を継いだが、子がないため、弟に家督を譲ろうと考えていた。居候の東吾は大川端に通うにも気を遣っていたが、講武所教授方を拝命したのを機に兄から結婚を認められ、八丁堀を出て「かわせみ」へ。一方、定廻り同心・畝源三郎の家も、与力の三百坪に対して百坪と小さめながら、この界隈にある。

❸深川・長寿庵

「かわせみ」から永代橋を渡ってすぐ、深川佐賀町の蕎麦屋・長寿庵の長助は、若い頃からの捕物好きで源三郎の岡っ引を務めている。地元ではさらに下の岡っ引を動かす親分だ。本業の蕎麦屋は女房と、跡を継いだ息子夫婦がしっかり切り回している。

❹本所・麻生家

東吾とは縁浅からぬ麻生家。西丸御留守居役を務める当主の源右衛門は、東吾の亡父とは竹馬の友であり、長女・香苗は兄・通之進に嫁ぎ、次女の七重は、東吾の友人の医者・天野宗太郎を婿にした。

小名木川沿いにある屋敷の周りには水路が入り組み、舟を使った賊に押し入られたりしたこともある。

❺駿河台・講武所

講武所は安政元年、幕府によって築地に設けられたが、東吾が軍艦操練所（❻）と共に通うようになった頃には、神田の小石川御門の内側に移転した。奇数日に剣術、偶数日は槍術の指導がある。故に東吾は非番の偶数日に軍艦操練所へ通う。幕末になるにつれ、軍艦操練所の訓練の方が活発になり、講武所は会議ばかりの状態に。越中島の銃隊調練場では、東吾も洋銃を撃ったりしている。

❻築地・軍艦操練所

もとは講武所の一部として現在の築地市場の一角にあたる場所に開かれ、歴史に名を残す江川太郎左衛門、勝麟太郎（海舟）らが中心となって訓練を繰り返していた。東吾も、勝に見込まれたらしい。

❼狸穴・方月館

老師・松浦方斎の剣道場。のどかな麻布の原近く、真鯉や畑で採れたふきのとうなどの土産が東吾によって神林家や麻生家に届けられ、話の糸口となることも。今は東吾が事件を通して救ったおとせ・正吉親子が方斎と共に暮らし、弟弟子の松本伊太郎が師範代を務めている。

❽九段・練兵館

斎藤弥九郎が開いた道場で、かつて東吾はここと方月館で月に約十日ずつ教えていた。東吾が幼少の頃、源三郎らと剣術を学んだのは神道無念流の岡田道場。その主の岡田十松の死後は、兄弟子の斎藤弥九郎が師範代となった。弥九郎が練兵館を興すと、東吾は代稽古に招かれ、さらに弥九郎の紹介で、方斎と知り合う。弥九郎は実在の人物で、高島秋帆に西洋砲術を学び、子息の二代弥九郎も講武所教授方を務めているから、東吾の「就職」にも関係ありそうだ。

❾南町奉行所

町人の事件は町奉行所の支配下にある。南町奉行所は数寄屋橋のそばにあり、通之進は毎日、朝四ツ（午前十時）に香苗に見送られて出仕し夕七ツ（午後四時）に退出する。時には、寺社、武家といった支配違いかどうか微妙な場合でも、厄介な事件だと町方に押し付けられたりする。

❿蔵前・江原屋

畝源三郎の妻・お千絵の実家の札差。蔵前の名は、浅草御蔵にちなむ。武士の扶持は本来米で支給されたが、保管場所に困ることから、米に代えられる札になった。札差はこれを扱ったり、のちには金を貸したりするようになる。東吾も講武所の授業料である切手を金に代える作業を、江原屋に任せている。

注・「御宿かわせみ関係地図」と「現在の東京」とは、若干のずれがある。次ページの「大川端・佐賀町周辺図」は尾張屋板の切絵図（『江戸切繪圖集成』第四巻・第五巻／中央公論社刊）を参考とした。地図中、灰色部分は町家、茶色は寺社地、それ以外の薄い黄色は武家屋敷を表す

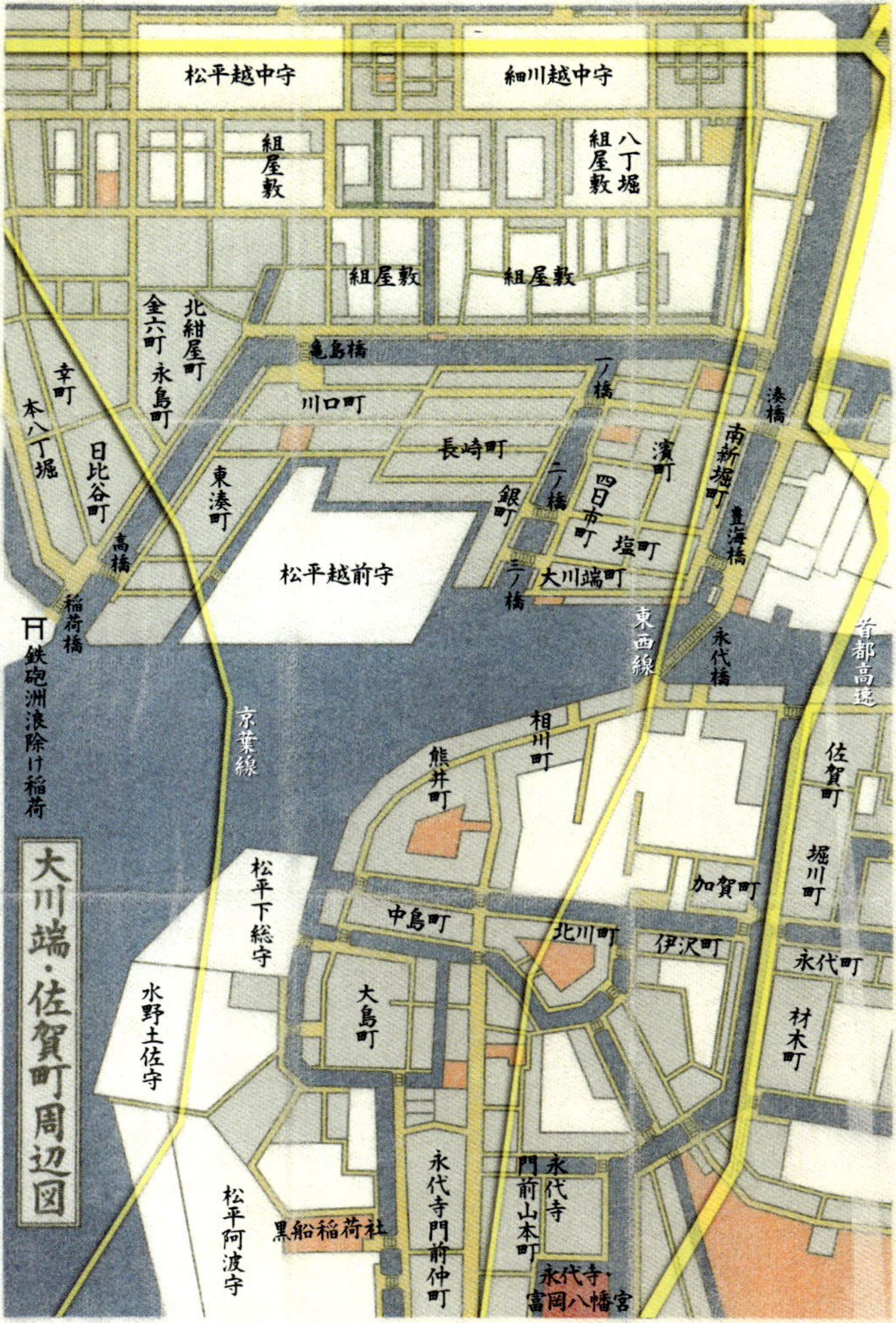
大川端・佐賀町周辺図
松平越中守
細川越中守
組屋敷
八丁堀
組屋敷
組屋敷
組屋敷
北紺屋町
金六町
永島町
亀島橋
幸町
本八丁堀
日比谷町
川口町
一ノ橋
湊橋
長崎町
濱町
南新堀町
東湊町
二ノ橋
四日市町
銀町
豊海橋
塩町
高橋
松平越前守
三ノ橋
大川端町
稲荷橋
鉄砲洲浪除け稲荷
東西線
永代橋
首都高速
京葉線
相川町
熊井町
佐賀町
堀川町
加賀町
松平下総守
中島町
北川町
伊沢町
永代町
水野土佐守
大島町
材木町
松平阿波守
黒船稲荷社
永代寺門前仲町
門前山本町
永代寺
永代寺・富岡八幡宮

文春文庫

「御宿かわせみ」読本

平岩弓枝編

文藝春秋

「御宿かわせみ」読本・目次

〔カラー口絵〕

著者が語る「御宿かわせみ」の世界

「御宿かわせみ」を演じた役者たち

「御宿かわせみ」の魅力を語りつくす

本文カット／蓬田やすひろ
本文デザイン／関口聖司
地図製作／ソニックバン

著者が語る「御宿かわせみ」の世界

捕物帳の枠をこえ、るいと東吾を中心とした大河小説の様相を呈しはじめた「御宿かわせみ」。

その世界はどのように構想され、今後どのように展開していくのか。

約十年の時を隔てた、二つのインタビューをお届けする

●「オール讀物」昭和六十三年一月号

私も心配二人の将来（インタビュー）

まだ、るいと東吾が祝言さえ挙げていなかった時期のインタビュー。「かわせみ」誕生のいきさつは？

――「御宿かわせみ」は今号（昭和六十三年一月号）の「酉の市の殺人」が八十五作目にあたります。第一回の「初春《はる》の客」から数えると丸十四年という長寿です。こんなに長篇になるとは……。

平岩　全然思っておりませんでした。それで実を言うと困ってることがずいぶんあるんです。年齢のことは、連載とともに年を取る必要はまったくないと思ってたんですけれども、月刊誌ですから四季に合わせてしまったんですね。春のころには春の話、夏のころには夏の話、そしてなるべく江戸の風物詩をそれにはめていきたいなと思って江戸の正月、江戸の年の暮れ……、だから、読者の頭の中では、一年ずつ年を取ってるんですよ、東吾さんもるいさんも。そういう読者はちゃんと指折り数えていて、はらはらしてるわけです。

ただ、江戸の感覚と現代の感覚は違いますからね。十六ぐらいが花であって、十八というと親もあわてる、十九なんていうと冗談じゃない、まして二十歳なんていうとえらいことになるんだけども、今の読者はそういうふうには考えないでしょうから。心配して、もうおるいさんは子供を産めなくなっちゃうとか、早くなんとかしてくださいなんて投書があるんですよ（笑）。私も困ったなあという気持ちはあるんですけどね。

でも、長続きするつごうのいい条件に恵まれていたと思うんです。グランドホテル形式なのでストーリーの展開が楽だったということと、脇役がよかったんですね。ことに、お吉さんというのを置いたのはよかったと思うんです。単純で感情的で、すぐケロッとして、一本気で正義漢でご主人思いという。あのお吉さんは、結構「かわせみ」のドラマの中で救いになるんですね。おるいさんが言えないこともお吉がしゃべればいいし、みんな遠慮してちょっと口に出せないというのをお吉がペロッと言っちゃうみたいな。それから、誠実が着物を着て出てきたみたいな長寿庵の長助さん……。

――旅館と奉行所の組み合わせを思いついたのは……。

平岩　江戸時代は、街道筋は当然ですけれども、江戸市内といえども旅籠と町奉行所というのは密接な関係があるんですね。胡乱《うろん》なやつが長いこと宿泊していてそれが泥棒だったとか、いろんなことがありますので、宿屋稼業と奉行所とは緊密な連絡があります。そういう意味でわりにうまく両方がくっついたんです。女主人というのもアイディアだったと思います。しかも、その彼女が八丁堀育ちで同心の娘であった。

これも、本当ならば八丁堀の町奉行所の与力、同心という人たちは世襲じゃないんですね。あれは一代抱えなんです。けれども実際には親が隠居をする前に子供が見習いに出るという形で代々奉行所づとめだったんです。したがっておるいさんも養子をもらえば良い。ところが、東吾さんが好きだったから、ほかの人と結婚する気はさらさらない。自分の親戚の跡目相続を願って、自分はそこの家を出てしまった。だからおるいさんの家は今でも同心として残ってるわけです。だけど、おるいさんはそこと関係なくなってしまっている。そういう設定にしたんです。

東吾さんのほうは、兄さん夫婦に子供がないから、兄さんはいずれ弟に自分の跡を譲る。譲らなきゃ家が絶えちゃいますし。

もう一つ、兄さん夫婦に子供ができないと思わなかったものだから、麻生家——麻生さんとこは、自分のところの残ってる末娘の七重に東吾さんをもらって養子にするつもりでいたら兄さんが手放さないというわけで、あっちはモタモタしてるわけですよね。だから本当に困っちゃって。作家が困っちゃってるんですよね（笑）。

——このお話は捕物帳ですが、むしろ人情物としての要素が強いと思います。そういうことは意図的になさっていますか。

江戸の警察組織

平岩　いわゆる町奉行所が扱った事件の中には、盗賊が商家を襲う事件もありますけど、家の中のちょっとしたトラブルから起こる殺傷事件というのがかなり多いんです。

　現実にはこれは町奉行所まで持ち込まれないで、町役人《ちようやくにん》と称する人たち、隣組の組長みたいな人がそういう家のトラブルを「まあまあ」とおさめる。おさめきれない場合、そういう殺傷事件が起こっちゃった場合は、町々にある番屋へ事件を起こした人間を連れてきて待ってる。そうすると定廻《じようまわ》りの旦那が回ってきて、番屋の入口が開いてると事件があったんだなとわかるのです。閉まってると、外から「何事もないか」と声をかけて、「へえい」と言うからそのまま通っていっちゃうわけです。開いてると、事件があったというのでそこへ来て、お取り調べがあるんですね。そしてだいたいはそこで片づいちゃうんです。

　そういう話のほうがどちらかといえば人間性がはっきり出ますし、当時の記録を読んでみると現代とあんまり変わらないですね。嫁さんと姑さんの問題だとか、子供ができないとか、外へ出来た子供に家督を継がせたくなくてどうしようかとか、急に親が死んじゃってどうなったとか、番頭が横領をやったとか。今日的なテーマを持ってるものも多いものですから、そういうものから手をつけたいというのが本当の気持ちだったんです。大きな盗賊、大泥棒というのはあんまりやらないで、できればそういうささやかな犯罪のほうをと（笑）。お白洲へ持ってかないで、たとえば「御宿かわせみ」で片づいちゃうような。そこに腕っこきの定廻りの旦那がいて、しかも与力の弟がいれば、少々の事件は、そこで片づきますよね。

でも、それればっかりやってると、欲求不満になってたまには立ち回りのあるようなものを書くんですよ。泥棒におっかない名前をつけて何とか凄味を出そうとしてるんですけど、ちっとも怖くなくてね（笑）、いつも弱いからイヤになっちゃう。少し強い泥棒を書かなきゃいけないなと思ってますけど。

――この時代は百八十年から二百年ぐらい前、つまり、我々から五、六代前ですね。

平岩　まだ斎藤弥九郎が若くして練兵館を開いて一番町にあったころですから、百八十年くらい前ですね。私のお祖父さんのそのまた祖父さん……、もう一つ前ね。

――江戸の末期というのは、我々が思ってるよりずっと身近なんですね。

平岩　そう思います。ただ、非常に大きな違いは交通のことなんです。この二百年たらずのうちにものすごい変化を遂げちゃったわけですよね。そのあたりをよくよく頭の中に入れておかないと。それから、情報もこれほどは早くないですしね。その辺を気をつけて書かないと、えらいことになる。

――狸穴《まみあな》と大川端はタクシーの距離で考えちゃいますからね。

平岩　そうなんですよ。でもね、私、自分で舞台にした場所だけは運動靴をはいてせっせと歩いてるんです。

ただ、私の足はスローだから。八丁堀の旦那はたぶん倍以上早いと思いますね。あのころの定廻り同心の早足ってすごかったらしいですね。今の競歩っていうんですか、あれみたい。私なんか途中で休みを入れるでしょう。ちょっとお茶飲んで、という感じですからね。万歩計を持ってみたり時計を見たりして、ここまで何分かかったというふうにしてやりながら歩いてみるんですけどね。おもしろいことに大きな道が意外と変わってないんです。また、想像以上に舟を利用してますね。駕籠よりも舟のほうが利用価値があったんじゃないかなと思うんです。

——江戸と東京では川のかたちが決定的に違いますね。

平岩　違っちゃっています。本当に水路というのはね。ことに下町は水路が便利だったんですね。むしろ、江戸は水の都だったわけですね。ベニスみたいだったんじゃないですか、ダウンタウンは。

よく、方月館を「なんで狸穴にしたんですか」って言われるんですが、私の感覚としてはダウンタウンと山の手を書きたかったんです。山の手は別に狸穴じゃなくてもよかったんですけど、侍の下層階級が屋敷を持った場所は青山百人町とか、狸穴より奥なんです。渋谷にかけての今の青山通り、それから麻布、六本木、あの辺はいわゆる御家人と呼ばれてる人たちの住宅地なんですね。今の防衛庁のあたりね（現在は市谷に移転）、あの辺に組屋敷がたくさんある。ということは、そういう下層階級の武士の師弟がヤットウを習いに行くには、あそこらにあるほうが具合がいいし。

――ところで、登場人物にモデルがいるのかというのが興味のあるところなんですけれども。

平岩　最初はなかったんです。ただテレビになったり舞台になったりしますと、役者さんがその役をしますね。多少その顔になってきたりすることはあります。でも小説を書いてる人間の図太さで、いくらいろんな役者さんがやっても、「いやいや、もうちょっといい男なんだ」なんて思っちゃってね。

長寿庵の長助さんが活躍し出したころに、たまたま帝劇の別の芝居で巌金四郎さんの息子さんの巌弘志さんが出演なさったんです。そのときに、「ああ、長助ってこういう人じゃなかったかな」と思ったの。巌さん自身も私の芝居に出る回数がそのへんから多くなってきていろんな役をなさるようになってきた。私のほうも、長助さんが巌さんと一緒に大きくなっていっちゃったので、いつの間にか私の中では長寿庵の長助さんは巌さんの顔になっちゃったんです。これはいつの間にかなっちゃった。

「湯の宿」という作品があるんですが、それに出てくる老岡っ引――昔岡っ引をしていて、自分がとっつかまえた大泥棒の子供を育てていく話があるんですけど、あれは益田喜頓さんが舞台でおやりになってから私の中で何となく喜頓さんになってるんです。そういうのはありますね。

――たとえば田村亮とか浜木綿子とか真野響子とか、そういうキャラクターに引っ張られてストーリーができちゃうということはありませんか。

平岩　小説のほうはもう固定してから舞台ができたものですから、俳優さんのほうが合わせてくれたみたいですね。

――るいとか東吾以外の脇役も、登場人物がみんな明るくて、非常に涙もろい。

平岩　そうです。熱血漢で正義漢で。

人間のよさをたくさん持ってる人間を少し書きすぎてるんですよね。悪さのほうがあんまり出てこない。でもね、私はいいと思ってるんです。なぜかというと、犯罪が起こったらどうしても人間の悪さで書かなきゃならないから、それを少なくとも裁く

――裁くという言葉はあんまり好きじゃないけれど、処理しなきゃならない、片づけなきゃならない人間は、性は善なりというのがないと。両方が性悪説じゃたまらないですよね。だから、いい人が登場しすぎるくらいでいいのかな、なんて思ってはいるんです。

それから、なるべくレギュラーの人たちに日本人の持っていたすがすがしさみたいなものを持たせたいなと思ってるんです。

――受け皿は明るく……。

作品に花を使うわけ

平岩　盛るものはいささか暗くと。犯罪が絡めば、いい解決をしたところでやっぱりそれは暗さの中の明るさだと思うんですよね。暗さの中の明るさというのは私はとても好きなのでね。明るさの中の暗さも好きだけど、暗さの中の明るさというものもとても好き。

逆にいうと、「かわせみ」グループは明るさの中の暗さを時々見せるわけですね。たとえばるいさんが子供ができないとか夫婦になれないとか。それから嘉助にしたって孤独なんですよね。おかみさんは早く死んじゃって、娘はお嫁に出しちゃってるし。お吉さんだって、いっぺんお嫁に行って出戻りでしょう。みんなそれぞれ明るく暮してるけれども、背負ってきた人生は決して甘ったるくはない。だから、逆に彼女らは明るい解決を望むのじゃないかな。「白萩屋敷の月」という作品はまことに暗い話なんですね。あれを書くときにさんざん困って、私は「ああ、花の中に置こう」と思ったんです。花は本来明るい。花とか月とか、明るいですよね。その中に置けば、暗い話がもしかしたらそう辛くなく書けるのかなぁって。

私の中で、暗い話は必ず花が背景にあるんです。「白萩屋敷」では白萩でしょう。「山茶花《さざんか》は見た」というのもちょっと暗いでしょう、あれも山茶花を使ってることで逃げてるんです。

だから、花が出てきたら、よく読むとその内容は非常に暗いんですね。結末も暗いし何の救いもないんだけど、だけど何となく読者がだまされてくれるというんですか、ロマンを感じてくれるというか。だから花を出したときは危険信号（笑）。困ると花が出てくるんです。わりあいに花は使います。花を使ってわりに気にいってるのは「卯の花匂う」という作品。あれは花が明るいほうへ向いたんです。気をつけてあんまり使わないようにしてるんですけど、時々手に余ると花を使うんです。

――花と同時に、時代物には季節感が大切ですね。

平岩　今から考えると、江戸時代のほうが冬が寒いみたいですね。これは気温が低いんだという説と、今は暖房装置や何かあるからそう感じないとかいろいろ言うんですけど、気象庁の記録があるわけじゃなし、わからないんですよ。

それにしては江戸の人間はみんな薄着なんですよね。まあ綿入れもありますけど、定廻りの旦那の着物なんか歩いてるから暖かいんでしょうかね（笑）、羽織でしょう、コート着てるわけじゃないんですからね。

「必殺仕事人」の主水さんが首に襟巻を巻いて出てきますけどね。あれはまあ、たぶん藤田まことさんの創案によるものであろうけど、江戸の人間は首にものを巻くのは年寄りくさいといって嫌ったんです。まして、粋を信条とする八丁堀の旦那は絶対に首にものなんか巻きませんよね。主水さんはああいう落ちこぼれさんだからいいわけですよ。

首は何にもないし、下へすててこをはくわけじゃないしね。シャツもないわけでしょう。肌襦袢《じゅばん》の上に長襦袢を着て着物を着て羽織でしょう。寒かったと思いますよ。

風が吹きゃ、向こう脛《ずね》まで出ちゃいますものね。

――かわせみ旅館というのは、今でいうとビジネスホテルですか。

平岩　何だろう……、趣味的旅館というか。そんなに部屋数が多くなく――割烹旅館でもないし。採算は度外視してるわけでもない。日観連とか、今でいうああいうのに属してないと思うんです。

あんまり偉い人は泊まれないでしょうね。原則としてたぶん侍は泊まらないと思うんです、浪人は別ですけど。でも、浪人はかなり嘉助さんが選んでいるような気がするし。

あの宿屋に泊まった人で、武士というのはいないはずなんです。医者までなんです。美男の医者、天野宗太郎さんというのがいましたね。あのくらいでしょうね。あれは半分侍みたいなものだから。あとは、郷士の悴《せがれ》ぐらいはいますね。

――宿場町にある旅籠とか街道筋にある旅館ではないですから、観光ホテルではない……。

平岩　江戸へ商売で出てくる人間が、それもどっちかというとわりと堅気な人間が「ここなら安心だ」というので泊まるんでしょう、やっぱりビジネスホテルね。

たしか「七夕の客」という作品で、るいさんが開店して何年かたったので常連のお客様に何か配りものをしようというのがあるんです。だからある程度固定客があって、江戸時代の旅籠というのはいつも満杯ということはないんですね、必ず空き部屋があるという程度なんです。だから奉公人の数も少ないし――何だかあの連中はただで働いてるような感じがあるんですね（笑）。嘉助さんにしたってお吉さんにしたって、食べさせてもらえりゃ結構だ、お小遣いがありゃ結構だという感じで。そんなわけで人件費が安いからやっていけるという……（笑）。

――「かわせみ」はしゃれてて、ちゃんと川から舟で上がれるようになっていますね。

平岩　ええ、大川からね。あの辺は大川端町なんですけど、土手があるんです。今でも隅田川の中洲に料亭がありまして、その料亭さんは大川に面しているんです。もちろん、今はコンクリートで土手ができてるんですけどね。そこを川のほうへ降りていく道がついてるの。川岸は満潮時になればひたひたと来るし、引くと少しは土手へりに砂地みたいなのが残るというふうなの。上がってくると土手になって、土手からまた降りてくるとそこは庭なんです。そして料亭があるんです。この川を新内流しの舟が来るんですす。料亭で食事をしてて、流しの舟が来ると呼ぶんですね。停めて、部屋の窓を開けて上から聞けるわけ。演奏は小舟の中でやるんです。それがとてもよかったんです。ついこの間までそれがあったんです。

実を言うと「かわせみ」にはそういうのを想定してるんです。狭いけれど庭があって、建物は私の感じだと鉤《かぎ》の手になってて、一番近いところは川を見られるようになっている。で、お吉さんたちはいつも庭を横切って走っていって、土手の上からものを買ったりしてますよね。それは中洲の料亭さんから考えたの。

――そのころの旅籠は障子と襖《ふすま》でしょう、鍵がないから用心が悪いんですね。

平岩　悪いです。一応貴重品預かりというのがあるんです。私がとても気にしてるのは、嘉助さんがお帳場で幾ら幾らと預かりますよね。それを嘉助さんはどこに置くんでしょうね（笑）。金庫はないしね、どこかに銭箱の引き出しがあって、そこへちゃんと封印して収めるに違いないと思うんですけどね。事実、江戸の旅籠屋でそういうふうにしてお金を預かってるんです。だけど、そこへ泥棒が入るということはあり得ると思うんです。

ただ、江戸時代の旅人はそう大金を持って移動してませんね。為替がもう使えるから、本当に必要なだけのお金を持って出てくるんだと思うんですよ。でなきゃ、道中物騒ですから。

――さて、気になるのは、いったいこれから東吾とるいはどうなるのかということですが。

平岩　いい解決方法ないですよねえ、本当の話。一つの解決法は、通之進さんのところに子供ができることです。結婚してからずいぶん子供のできないあの夫婦に、香苗さんが相手じゃなくてもね。あの通之進さんというのも女房にベタ惚れの人だから困っちゃうんですけどね。でも、よそにでも香苗さんにでも男の子が一人できてくれれば東吾さんは一応フリーになるわけ。ただし、そのときは麻生家がもらいにくるでしょうね。親同士の約束だからって。これも断りにくいでしょうね。七重ちゃんに好きな人ができて、うまいことといって結婚したいと言っても、あの頑固な親父さまは「うん」と言いますまいね。「おまえは東吾どのが好きなはずだ」と言うだろうし、ここらが苦労なところなんですよ。

いちばんいいのは、麻生家にいい養子が来てくれて、兄さん夫婦に子供ができてくれて。そうすりゃ東吾さんは……。ただね、「かわせみ」の入り婿にはなれないんですね、この人。やっぱり次男坊でも侍ですからね、宿屋の亭主になるというのはとてもむずかしいですね。そうすると、いっぺん神林の家と縁を切って出てこなきゃならないですね。兄さんから勘当されるというかたちで出て、それで「かわせみ」へ転がり込んで夫婦になる（笑）。筋からいえばそういうかたちをとらなきゃ。

——そうすると、東吾は「かわせみ」の用心棒みたいなものですね。

平岩　そうですね。算盤もあんまりうまくなさそうだし。まだ一人で食っていけないみたいだし。方月館でもらってくる、お手当てくらいじゃねえ。彼は男としてとても困るでしょう、そうなることは。作家としても、それはさせたくないのね、何となく東吾さん、かわいそうで。

いちばん理想的なのは、東吾さんが兄さんの跡を継いで、おるいさんが「かわせみ」をやめて嫁に来ることですね。これ、いちばん単純なんです、麻生家が承知すればね。あの親父さまが言うことを聞いてくれて「よろしい」と言ってくれれば、それはやってできないことはない。そうすると、「かわせみ」は閉めなきゃならないですね。

——そうすると話も終わっちゃいますから、こちらとしてはそれもちょっと困るんですが

（笑）。

平岩　おるいさんが何と言いますかね。おるいさん、行くかなあ。あの人、気が強いから、ちゃんと奥方様でおさまるかなあ。

ただ、これから何年かたつとご維新が来るんですよね。ご維新になるともはや与力の家というのは何てことなくなっちゃいますしね、麻生さんのところもどうってことないですね。そうなれば逆に旅館の亭主になったほうが食べていくには困らないですね。そんなことも考えられる。明治になって宿屋をやって……。でもそのときはかなりの年になっちゃうんですよ。

――四十になっちゃう。

平岩　四十になっちゃ、色気もないですよね。困っちゃったな。子供もできないで、困っちゃいますよね。でもなんとなくそこらへんまで行っちゃうかもしれない。

――ご維新の騒ぎで「かわせみ」は無事でしょうか。

平岩　町奉行所の人間にとっては、やっぱりご維新というのは大きな出来事です。東吾さんなんか血の気が多いから、上野のお山へ行ったかもしれないし、そうすると五稜郭まで行っちゃうかもしれないし、もう心配ですよね（笑）。五稜郭で生き延びて帰ってきたりしてね。

――否応なく、政治の波に巻き込まれていかざるを得ませんね。

平岩　そうなんですよね。案外、明治以後西洋風な旅館になったりしてね。ホテル第一号になったりして（笑）。本当に心配してくださる人は多いんですよ。兄さんのところに子供を一人つくれば文句はない、何なら双子にしておいて一人は麻生家に養子にやればいいとか、七重ちゃんはどうなるんですかとか。

七重ちゃんはかわいそうですね。あれは本当にいい子ですよね。医者の天野宗太郎とどうにかならないかなと一生懸命考えたんですよ。あれはまだ独り者ですしね。でも、天野家というのは将軍様のお抱え医者なんですね。それで、宗太郎という名前からすれば長男ですね。七重がお嫁に来るにはいいんだけど、麻生家はどうなっちゃうのかなあ。しかしいずれ、時代の変わりめが静かに近づいているということが何となく作品の中に出てきさえすれば解決はつくのかなと考えてるんですが。

お吉と長助の人気って凄いわね（インタビュー）

読者の人気アンケートを受けてのインタビュー。これからの「かわせみ」はどのように展開していくのか？

●「オール讀物」平成十一年一月号　聞き手／平川陽一

――「御宿かわせみ」の開店二十五周年、ほんとうにおめでとうございます。私、今日はおこがましくも読者代表というお役目なのですが、このシリーズのファンには、何回も何回も読み返しているという方が多いんです。「毎晩どれか読んでます」という方までいらっしゃる。

二百話記念のアンケート、約八百通と驚くほどの数ですが、これを拝見しましたら、トップは「白萩屋敷の月」で、「岸和田の姫」「祝言」「お吉の茶碗」と続く。ご覧になっていかがですか。

平岩　そうですね。「白萩屋敷」というのは、通之進さんの初恋物語が繋がってるから。それにきれいですね、この話。萩と月ですから。「御宿かわせみ」の読者の方々の好みといいますか、傾向は非常によくわかりますよ。やっぱり後味がいい作品。それからどちらかというと視覚的に訴えられる作品のほうがいいみたいですね。心に残るみたい。まあ、そのことを多分に意識して書いてるんですけど。

――読者の中でお一人、あまり素晴らしかったので、自分の家の庭に萩を植えましたと(笑)。

平岩　私ね、萩の花って好きなんですよ。京都に萩のたいへん有名なお宮があるんですが、よくそのお宮へ行って、萩を見るの。萩の花ってね、月の夜に見るのがいいんですよ。花が小さいでしょう、夜見ると白がふっと浮いててね、ほんとにきれい。これは殺人は出て来ませんし、ロマンチックな話で私も好きです。

それから岸和田のお姫さん、これはやっぱりなんとなく可愛い話なのと、色恋でもさっぱりしてますよね。

――これも読者の手紙ですが、ヘップバーンの『ローマの休日』のような趣があるという感想が……。

平岩　そうですか。まあ、似たようなものでしょうか。「祝言」は、これは一つのけじめでしたから印象に残ったんだと思う。で、「お吉の茶碗」は、やはりお吉人気でしょうね。ただ、「長助の女房」がこんな上位にくるとは意外ですね。

――長助の女房の、ひたむきな人生がすごく印象的だったので、新しい作品なのに上位に来たのでは。

平岩　まあね、長助さんの一家は私もたいへん好きなものですから。

七位の「源太郎の初恋」、これは当然入ってくると思いました。可愛い話ですよね。それから畝さんの結婚式は、これも皆さんにしては一つの節目だろうし、「美男の医者」は宗太郎の初登場ですから、当然ですね。「花世の冒険」というのも、「源太郎の初恋」と繋がる。それと「かくれんぼ」、この三つは子供物なんですよね。子供の世界を書いてるわけです。

――やはりキャラクターものが強くなってきてるんですね。

読者が選んだベスト30

	作品名	年	得票
1	白萩屋敷の月	昭和60	150
2	岸和田の姫	昭和63	109
3	祝言	平成2	88
4	お吉の茶碗	平成6	82
5	源三郎祝言	昭和61	78
5	長助の女房	平成10	78
7	源太郎の初恋	平成9	75
8	美男の医者	昭和60	55
9	かくれんぼ	平成5	52
10	花世の冒険	平成5	47
11	立春大吉	平成9	44
12	江戸の子守唄	昭和49	43
12	秘曲	平成5	43
14	源三郎の恋	昭和57	40
14	紅葉散る	平成9	40
16	大力お石	平成10	37
17	山茶花は見た	昭和51	36
18	初春の客	昭和48	34
19	神かくし	平成1	33
20	春の高瀬舟	平成9	32
21	犬張子の謎	平成7	31
22	水郷から来た女	昭和51	29
23	卯の花匂う	昭和48	28
24	三つ橋渡った	昭和57	25
24	雪の夜ばなし	平成1	25
24	十軒店人形市	平成7	25
27	花冷え	昭和48	23
28	千手観音の謎	平成10	22
29	秋色佃島	昭和57	21
30	水戸の梅	昭和60	18

平岩　「立春大吉」は、千春ちゃんが生まれた回ですからね。「源三郎の恋」って、これも作品の中では古いんだけれども、尼さんに恋をする話ですよ。「山茶花は見た」も、どっちかというと非常にオーソドックスな、いささか虚仮威《こけおど》しな話なんですけど、媽祖《まそ》様なんかが出てくるから、多少エキゾチックで好まれるんですかね。これ、飛行機の中で書いたんですよ。成田からニューヨークに行く間に狂気のようになって書いて、その飛行機のスチュワーデスさんに頼んで日本へ持って帰ってもらったの。

——綱渡りのようなものですね。

平岩　あとはほとんど私の机の上で書いてるんですがね、これだけが飛行機のテーブルの上。「初春の客」は、とても暗い話なんです。ハンフウキって外国人の話は、長崎の犯科帳にあるんですよ。それをアレンジして江戸へもってきたんです。

——物語のような事件が実際にあったわけですね。

平岩　ハンフウキという男が長崎の丸山の遊女と逃げるんですけどね。実際は捕まり処刑される。小説では少し変えています。一回目はずいぶんと暗い話を書いてるんだな、私は。年が若いと暗い小説書くんですかね。

——これがシリーズ第一作なのはほんとに意外だったんですけれども、たぶん先生は三、四作、ご自分の中でテーマをお決めになってて、どれから出発するかお考えになって、これを第一作に選んだのだろうと思ったんですが。

平岩　違うんです。このころ私、意外とシリアスな暗い話が好きだったんです。こういうのばっかり書きたがってね、ちょっと先輩から注意されたくらいなんですよ。

――どちらかというと絶望的な雰囲気もある作品というか。

平岩　そうなんですね。自分にパワーがあるから、こういうのを平気で書けたんですね。ちょっと社会派っぽくて、青いところがあってね。うーん、あのころだったのかなあ、と思います。

――貴重品ですね（笑）。

平岩　例外ですよ。そんなに暗い話はないんです、「かわせみ」って。まあ、ないこともないんだけど、何かしら救いがありますよね。

「紅葉散る」は、おそらくこれを選んだ方は、麻太郎さんのお母さんが死んだからということでしょうね。

「春の高瀬舟」、これはアイディア勝ちだと思うんです。これを読んで、姫路の人がとても喜んで手紙をくれて。江戸時代のお米のランクをあの中に書いたんですが、三位までが播州なんですね。とっても嬉しかったって言われました。

それから「三つ橋渡った」、これも私はわりに好きで、この間も舞台で使ってるんです。

――これは地名が謎解きになっているものですね。

平岩　ええ。江戸の切絵図をどう見ても、三つの橋を渡って元に戻るってのは、ここしかないんですよ。これは新橋演舞場のそばですから、私はしょっちゅうあのへん歩いてるんだけど、切絵図で再三確認してみても、ここしかない。だから、よくぞそれを見つけたっていう（笑）。

——「千手観音の謎」はついこの間（平成十年十月号）の作品ですね。読者のハガキに感想がありまして、この夫婦の思いやりの形がたまらなく好きだという……。

脇役が大活躍

平岩　どうもね、準レギュラーが主役をとってるときの作品が、読者は好きなようですね。それから品の悪い話は嫌いなんだと思うの。だから、「江戸の湯舟」は、評判悪かったんです。

——それは不思議ですね。あの話の舞台設定はたいへん面白かったんですけど。

平岩　男の人はさぞかし面白がるだろうと思って書いたら……。本所深川という新開地は、井戸を掘ると塩水が出ちゃうから、お風呂屋が少なくて、そのため湯舟という特殊な商売がうまれた。ああいうの面白いと思ったんですよ。

——初めて聞いた話で、いかにも江戸の風情を感じて面白いなあと思ったんですが。

平岩　ええ、私も、これはいい材料見つけてきたと思って。意外と不評ね。ことに女性にはだめでした。「いやらしいわね」なんて言われちゃって、がっくりしたんですけど。

――読者は、人殺しのないものが好きなようですね。「岸和田の姫」なんて事件すら起きてない。それでも面白いから人気が高い。

それに、最近の傾向では、お子さんたちがだいぶ育って活躍するようになったので、「花世の冒険」にしても「かくれんぼ」にしても、非常に好感度が高い。

平岩 そうなんです。花世のお転婆と源太郎さんの人のよさというのがいいコントラストになってるんだろうなあと思う。でも、子供たちが出てくるようになって、「御宿かわせみ」はそれまでの、いわゆる捕物帳風から、大河小説っぽくなってきたと言う方がいらっしゃるの。私、意識してなかったんです、実をいうと。ですが、言われて意識しました。ですから、やっぱり子供のこともときどきは書いていかなきゃいけないのかなと。気の早い人は、明治になったら誰と誰が恋をするかなんて想像してる方がいらっしゃるんですねえ。こっちは全然そんなこと考えてないですけど。

――でも、これだけキャラクターが育つと、自在に物語をつくれるというところがあるんじゃないでしょうか。

平岩 ありますね。主人公はもとよりなんですけど、準レギュラーがみんななかなかの名脇役になっちゃったでしょう。そうすると書き手は楽ですねえ。

――どうですか、キャラクターが成長してくると、独立して作者から離れるといいますが。

平岩　たしかにそういうところはありますね。ただ、もの書きとしては、その人間の欠点の部分を書かなきゃと思ってね、しばしば努力してるんですよ。ところが、欠点が長所になってる人が多いんですよね、この人たちは。結局人間にはそういう部分があって、あるときに欠点になるけれども、あるときにはそれが長所になるという、まあ、それがいちばん平凡な一つの人間の形なのかなとも思うんですね。

――そうそう、お吉さんがよかれと思ってやったことが裏目に出るというふうな。

平岩　そうです。でも、私の友達はみんな、お吉は私に似てるっていうんで、いやになっちゃうんですよ。もうほんとに似てるわねって言われて、ショックを受けるんですけどね（笑）。

――「お吉の茶碗」は得票数では四位ですよ。脇役の中では人気ナンバーワンです。

平岩　頑張ってますねえ（笑）。

――彼女のあわてんぼのところが楽しくて、という方がいるんです。

平岩　舞台や映画でやるときに、このお吉をやる女優さん、みんな喜ぶんですよ。とっても好きだっていうの。長所と短所がはっきり出てるから、やりやすいんじゃないですかね。

――それから宗太郎が意外と人気あるんですね。飄々としたところがいい。

平岩　名門ですしね。この人、出てくる中ではいちばん身分いいんじゃないかしら。お父さんも母方のほうも将軍家の御典医さんでしょう。

――神林通之進さんは、先生の書き方ですと、非常に凜々《りり》しくて、天下一の美男というふうな。

平岩　そうそう。これは作者憧れの人なんです（笑）。なかなかこれだけの美男は出てこないと思うんですよ。だから、おそらくこの先も「かわせみ」では通之進さん以上の美男は出ない。この人ね、非のうち所がないくらいいいんだけれども、読者は私が思ってるよりは、この人物に愛嬌を感じてるんですよ。

「御宿かわせみ」をNHKでやりましたときに、通之進役を田村高廣さんがやってらっしゃる。難しいような顔をしていながら、餡ころ饅頭食べてるみたいな、そういうキャラクターを高廣さんは非常にうまく出してましたね。それが、テレビを見た人のイメージの中に入ってるんだと思うんです。作者が考えたのはもう少し白皙《はくせき》の美男なんですけど。でも、それとミックスして助かってる部分はあるんじゃないかなと思う。

――あとは主だったキャラクターですと、源三郎ですか。

平岩　ええ。これはたいていの人に好意を持たれていると思う。東吾さんがどっちかというと八方破れみたいなところありますでしょう。だから、その並びにいる人間というのはそう八方破れじゃ困っちゃいます。といって聖人君子でも困ってしまうし、やっぱり血の通ってる人間で、慎重で誠実で、少々、石頭で。東吾さんには天才的なところがあるけれども、源三郎さんはある意味で平凡人のよさがある。それで助かってるみたいな話ってずいぶんありますよ。結局最後の土壇場でちゃんと嫁さんもらえたし。

――あの「源三郎祝言」は大逆転物語ですね。

平岩 あれはね、相当考えた話なんですよ。考えたにしては、わりにサラッといっちゃったんですけど。

――ほんとに瓢簞から駒という感じで。

平岩 前からの布石はありませんでしたからね。まあ、石打たないでおこうと思ったのも事実なんです、実をいうと。たいてい石打つとわかっちゃう……でも、ちょっと前に出しておくべきだったのかなあとも思う。

――読者は自分の好きなキャラクターの心理に関してはかなり深読みしてますので、先走って、たぶん一緒になるというふうに読むと思います。

平岩 そういう読者がいるんですよ。もうすっかりストーリーができちゃってる。「この先、こうなるでしょ」と言うから、「いやあ、それはちょっと待ってください」なんて答えることがありますから（笑）。

麻太郎問題の行方は

平岩 ただね、これだけ名脇役が揃いすぎると、どうしても主役がかすむんですよ。

――そうですね。最近おるいさんがあんまり出てこないから。

平岩　もうだいぶ言われてます。おるいさんどうしたんですかって。そんなときは、子育て中の女ってのは外へ出ないんですよって、しきりにかばってるんですけどね（笑）。

――そのローテーションがなかなか難しいですね。

平岩　難しい。やっぱり江戸っていうのは男の世界ですからね。ましてや幕末なんて、男の時代でしょう。だから、そこで女を書くというのは、どうしても支え役なんですね。しゃしゃり出ていったらだめなんです。

――「長助の女房」のときも、長助の女房の心中をおるいが思いやるところがありますが、ああいう描写がすごくお上手だなと。

平岩　昔、私が育ったころの、いまの私の年代の人にはああいう感覚があって、絶対に前へ出ない。だけど、裏でやらなきゃいけないことはきちっとやっておく。そういう意識が日本の女の人の中にはごく自然に育ってたんですが。だから、おるいさんは私にとっては日本の女の郷愁みたいに思って書いているというところがあるんですね。

ただ、いまのところ東吾さん、そう悪いこととしてないからいいんですが、どうしますかね、麻太郎さんのこと。あれが表に出たら、現代人の感覚では、きっと許せないんじゃないかと思って。

江戸時代ならたいしたことでもないですよ、はっきりいって。それはおるいさんは悲しいでしょうけども。だけど、現代の読者を納得させるのは大変なんで、作者としては、一つ一つ石を打ってるんです、一生懸命。バレたときに読者も、まあ、しょうがない、と思ってくれるように。

——東吾も記者会見をしなきゃいけないという（笑）。

平岩　でも、やっぱり人間というのは何かがないとね。あんまり極楽とんぼの一生というのもつまりませんからねえ。

——ある読者は、「虹のおもかげ」や「笹舟流し」、それから「紅葉散る」が好きだと。男としてはそのへんの話が身につまされるわけです。でも、おそらく女性は、何を勝手なことして……と思うんじゃありませんか。

平岩　でもね、東吾さんのそういうとこってちょっとあったほうがいいと思う。「かわせみ」を厳密に読むと、東吾さん、相当あっちこっちで遊んでるんですよ。けっしておるいさん一人じゃないんです。

——たしかに、実際に事があったかどうかは別にして、東吾さんのほうにもその気がなきにしもあらずで。そのへんが見え隠れするので、かえって話自体にふくらみが感じられると思うんですね。

平岩　吉原も行ってますしね。「鴉を飼う女」かな、あれでは完全に吉原で泊まってきていますから。まあ、そのぐらいは江戸ですからね。でも、読者って、そういうとこはなるべく見て見ぬふりで通っちゃうみたい。

——先生の中で、東吾のキャラクターが少しずつ変化してきたりということはございますか。

平岩　ありますね。やっぱり東吾自身が年取ってきてるってことを意識してるんですよ、特に最近。だから、二十代は目茶苦茶なとき、三十代は男盛りですよね。で、いま四十になるかならぬか。四十すぎるのは辛いから、少し前ぐらいの感じとすると、これからは、〝四十にして惑わず〟でもないけれども、しっかりしてくれないと困りますよ。

それで、その一つの石としてね、私、この麻太郎の問題を出してきたんですよ。ちょっと惚れたり、何だかんだと気ままにやってたのが、まあ、無責任な男ではないですけども、全くとんでもないとこからものを突きつけられたみたいな感じで、麻太郎が出てきます。一人の男の人の、一生の精神的な変化、そういうのを東吾さんで書いていきたいと思ったんです。

同時におるいさんでもそれを書く。亭主がそういうことになってくれば、おるいさんも一つそこで山を越えなきゃなりません。それは大事なことだと思ったんです。ドラマには、やっぱりそういうものがあってもいいんじゃないかなと。人間の弱さの部分っていうのを出してみたらどうかなあと思ったんですけれども、思った以上に反響が大きいんでね、弱ってるんです。ほんとに弱っちゃう。

——東吾さんが自分自身にトラブルを抱えて、それをどのように解決して、人間が育っていくかということですよね。

平岩　おそらく東吾さんも、ずいぶん成長してると思うんですよ、麻太郎が出てきたことで。「虹のおもかげ」という話で、あの蝉とるとこいいでしょう。

――あのシーン、いいですねえ。

平岩　私ね、あそことっても好きなの。でも、このへんから読者も相当な意識を持ち出したんでしょう。いただく手紙で、みんなすごく心配してくださるんですよ、「よけいなご心配をかけてすいません」って返事を書くような。つまり、おるいさんが知ったときにどうなるでしょうと、わが事のように心配してね。作者としては申し訳ないとしか言いようがないくらい、苦労をかけちゃってるの、読者に。

――そうですね。理想の夫婦像を仮託してるみたいなところがあるから、きっと壊されたくないんですね。

平岩　それで慌てて千春さんを産ませたんですよ。あんまりおるいさんをいじめちゃって、読者が怒って読んでくれなくなると困りますからね。第一、お吉や嘉助も悲しむだろうしと思って。

――千春の誕生で、「かわせみ」全体が明るくなったんですよね。

お気に入りの作品は

平岩　私、自分の好きな作品の中で、読者の方々の人気投票に入らないのが不思議というのがいくつかあるんですよ。

――となると、ぜひ先生のベストテンといいますか、自選のものを聞かせていただきたいのですが。

平岩　たとえばね、「息子」なんか好きなんですよ。これ、大工の親子の話です。このラストでお父つぁんが死んじゃってね。そのお通夜の晩に息子が真っ赤な顔をして弔問の客に父親の最後の話をしている。本当は、この作品、このラストが書きたくて……。

――じゃ、これはラストシーンから出発した作品ですか。

平岩　そうです。父親が死んだときの息子はね、神妙に泣きながらとか、あるいは涙を隠しながらお礼を言ってるというのが普通のお通夜の風景なんだけど、この話では一生懸命お父さんの話をしてるんですよね。なんとも情があるでしょう。これ、実は中村勘三郎さんが歿《なくな》ったときの息子さんの勘九郎さんがモデルなんです。

――「息子」以外にお気に入りは。

平岩　「春の寺」。これは兄弟が母の命日に菩提寺へ行くんです。で、そのお寺のいつもお弁当使う茶店の女将さんの話が裏になってるんですけど。これも私、神林家の雰囲気がとても気持ちよく書けた回なので、好きなんですよ。

「牡丹屋敷の人々」も、牡丹の花の中に、目のあまりよく見えない女の人を置いたのは、雰囲気としてはまことに気に入ってたんです。

それから「虫の音」。最後にだめなおっかさんが戻ってきちゃって、また出て行くという、あのラスト好きなんですけどね。

——「煙草屋小町」などはいかがですか。話自体が非常に明るくて、楽しみの多い作品。

平岩 ええ、あれも気に入ってます（笑）。嘉助がいいでしょう。あのとき挿絵もよかったんですよ。

——江戸の賑わいが感じられるような、非常にいいお話でした。

平岩 ここに出ている中で「花世の冒険」とか「かくれんぼ」というのは、私自身、書いていて結構楽しんでるんです。子供書くとねえ、お吉と同じで、書きいいんですよ。

——「八丁堀の湯屋」とか「一両二分の女」というような、風俗を感じさせられて、なかなか面白い角度でお書きになってらっしゃるなあと思う作品が意外に入らないですね。

平岩 大河ドラマ的な要素になってるものを読者は選ぶのかもしれませんね。だから、もう「御宿かわせみ」というのは短篇の捕物帳ではなくて、神林家を中心とするところの一つの大河ドラマになってるんだなというのが、アンケートを見るとわかります。それは書き手にとってはとてもありがたいことなんですけれども、よけい難しくなります。書くときに、最初のときのように自由ではなくなるところがあって。

——畝さんに子供ができたというのがいけなかった（笑）。

平岩 ほんとに、畝源三郎のところに子供ができなければ、登場人物たちは年を取らなかったはずなんですよ。永遠に短篇の積み重ねだったと思うんです。子供が生まれたもので、作者が計算してなかったのに、読者が計算する。もう丸一年たちましたとか、もう三つですとかって言われると、しまったーと(笑)。あのときほど、しまったと思ったことはない。だから東吾さんが、年を取りだしたんですよ。

――時間を動かさなきゃいけなくなってしまったんですね。

平岩　最初は、しくじったと思って。永遠に若々しい東吾さん、そそっかしい東吾さんというのを書いていきたかったのに、うーんと思ったんですけどね。この節は、やっぱりこれでよかったと思ってます。東吾さんもるいさんも年取って成長していくところがあったほうがいいですから。

――ただ、大河ドラマで時間を動かすと、いつか明治にならなきゃいけないんですよね。

平岩　実は暦の研究家で、こういうことがあったから、おそらくここが何年、これで何年と計算なさってる方がいらっしゃるんですよ。こういう暦の研究家や歴史の専門家が読むと、これはだいたい何年とわかってしまう。

だから、わざわざ安政の地震も避けて通ってるんだけれども。それでも、江戸の大火のこととか書くと、あ、この大火はいつのだってわかっちゃうんですよ(笑)。

――しかも最近、外国人が来たりするという、開港絡みの描写がスッスッと入っているので、ご苦労されてるんだろうなと思って読んでるんですけど。

平岩　ある時期からは気をつけながら年代をくってるんですがねえ。難しいですねえ。

おるいさんとグランドホテル形式

――さて、いよいよ二百話となり、これ以降をどう展開させるか、考えるところもおありのようですが。

平岩　ええ。また初心に戻ってみようと。おるいさんが主役なんですよっていう意味でね。グランドホテルを書こうと思ったのがそもそもですから。「かわせみ」へ泊まる人のお話。だから、二百一話からはまたそこへ返ろうと思ってるんです。もちろん千春は大きくなるだろうし、麻太郎も顔を出すし、源太郎兄妹も来るでしょうけど。

――たしかに、読者の原点といいますか、それは「かわせみ」という宿ですから、そうなると、かえって落ち着いてゆっくりと読めるようになりますね。

平岩　さまざまな人間がさまざまな考えを持ってるということを出すためには、まさにグランドホテル形式というのはいいんですよ。幕末って、モラルも変わってきてるし、まさに幕府は瓦解する目前にあるわけだから、人間の心も荒廃してます。その結果人々が追い詰められてどうするか。そういうときを迎えてるわけで、グランドホテルならそれが書けますのでね。

――江戸三百年という歴史で見てますと、ほんとに最後のところ、たかだか一、二年のところがものすごく中身が濃い。

平岩　速いんです、変化がね。ご維新のところはねえ、なんでこうなるの、って感じの激動期ですよ、あとから見ると。

——どうぞ、これからまた三百話にむけて、「かわせみ」一家のご活躍をお祈りしております。

平岩　とても三百話なんていきません。あと何回続けられるかわからないんですけどね。

——それから、読者に人気の食べ物のシーンもよろしくお願いします。

平岩　そうですね。もう幕末で、いろんな新しい食材が入ってきてますから。ああ、いいアイディアをいただいた。ぼつぼつ牛肉が入ってきてるんですよね。

——牛肉がどんなふうに登場するか、楽しみに待っています（笑）。

「かわせみ」ひとくちコラム

「御宿かわせみ」の世界を彩る挿絵画家

現在、「オール讀物」で「御宿かわせみ」の挿絵を担当しているのは、この読本でもカバーの装画や巻頭のカラー挿絵を描いている蓬田やすひろ氏だ。大胆な構図と端整な筆遣いで、〝平成の浮世絵師〟の異名を持つ人気画家である。

蓬田氏は昭和十六（一九四一）年札幌市生まれ。電通勤務などを経て、四十九年にイラストレーターとして独立した。

以後は本の装丁、小説誌や新聞の挿絵、広告用のイラストレーションなど幅広く活躍し、日本グラフィック展年間作家賞や朝日広告部門賞、講談社出版文化賞「さしえ賞」、長谷川伸賞など、数々の賞に輝いている。

蓬田氏が「かわせみ」の挿画を描き始めたのは、昭和六十三年一月号の「酉の市の殺人」からのこと。

前任の東啓三郎氏は、体調を崩したため降板するに当たって「三つの橋を探し求めた思い出」と題する一文を、「オール讀物」に寄せている。その一部をご紹介しよう。

「今でも覚えているのは、『三つ橋渡った』という作品のことです。作品の中に、三つの橋を渡ると元いた場所にもどる、という橋が書かれていたのですが、はたしてそれは今でいうどの橋のことなのだろう。ぜひその現場を見てみなければ挿絵を仕上げることができないという気持ちになって、夕暮れまで一日、三つ橋を求めてさまよい歩いたことを、今も懐かしく思い出します」

いまはなき江戸情趣を再現する華麗な挿絵の裏にも、さまざまな苦労があることを教えてくれる。

「御宿かわせみ」人名録

るいと東吾をめぐる人々の輪が、「かわせみ」の大きな魅力。実在の剣豪から岡っ引まで、「かわせみ」を彩る登場人物たちの横顔を紹介する

神林東吾

吟味方与力・神林通之進の弟。長く次男坊の冷や飯食いの身分であったが、それを苦にしないおおらかな性分である。剣術は岡田十松門下で、神道無念流の遣い手だ。練兵館の斎藤弥九郎から〝春風駘蕩の剣〟と折り紙を付けられたその腕前を見込まれ、八丁堀の道場で師範格を務めるほか、狸穴《まみあな》の方月館でも師範代として剣術の指南。

やがて、外国船が頻繁に訪れるなど風雲急を告げる折りから、幕府が新設した武芸練習所である講武所の教授方として召し出される。ほぼ同時に軍艦操練所への勤務も命じられ、月のうち奇数日は駿河台の講武所へ、偶数日は築地の軍艦操練所へ通う身となった。さらに最近では、軍艦操練所の教官並に任命され、軍艦操練所専任となった。

八丁堀の幼なじみ、るいとは長く人目を忍ぶ仲であったが、講武所勤めが始まった年の六月に祝言を挙げ、晴れて夫婦となった。

親友で定廻り同心の畝源三郎の相談相手として、持ち込まれる難事件の下手人探索にも腕と頭脳を振るっている。

るい

八丁堀で鬼同心と言われた庄司源右衛門の一人娘。源右衛門はある事件がきっかけで失脚し、失意のうちに亡くなった。るいは役宅を返上し町家暮らしを始め、大川端に小さな旅籠「かわせみ」を開いた。東吾より一つ年上で、面倒見がよく、涙もろい性格。人目を引くほどの美人だが、八丁堀育ちだけに小太刀を遣う。

通之進に子がなく、東吾が神林家の跡取

りであったため、るいは日陰の身を覚悟していたが、正式に夫婦となったのちに待望の長子、**千春**を授かった。

嘉助

「かわせみ」の老番頭。もとはるいの父、庄司源右衛門に仕えた八丁堀の捕方。一度会った相手の顔は忘れないという特技を持つ。

　女房のおくめはすでに亡いが、一人娘のお民は神田の木綿問屋河内屋吉兵衛に嫁ぎ、お三代、おせん、吉太郎の三人の孫がある。普段はもの静かな老人だが、お三代が誘拐された事件（「水郷から来た女」）では、八丁堀の昔に戻って大活躍した。

お吉

「かわせみ」の女中頭。嘉助と同じく、八丁堀時代からの奉公人。十六の時に小料理屋に嫁いだが夫と死別し、母も奉公していたことのある庄司家で働くことになった。るいが子どものころから仕えているので、るいの性格や好みをよく心得ている。るいにとってはかけがえのない相談相手である。

　人一倍の働き者で好奇心が旺盛。巷の噂話を素早く聞きつけてるいや東吾に報告するが、おしゃべりが過ぎるのが玉に疵《きず》。

　お吉の自慢は漬物で、「かわせみ」の泊まり客にも、たいそう評判がいい。兄が箱根の塔の沢で宿屋をやっていて、母のお貞もそこで暮らしている。

神林通之進

東吾の実兄。南町奉行所の吟味方与力として辣腕を振るっている。東吾よりひとまわり以上も年上なので、東吾にとってはなかば父親のような存在である。謹厳実直な性格だが、若いころには年上の美女に恋歌を寄せたこともある（「白萩屋敷の月」）。

病弱で子もないため、早めに東吾に家督を譲ろうと考えていたが、東吾が講武所に召し出されたため、いまも与力の職責を全うしている。

東吾が七重の友人、**清水琴江**との一夜の契りの末に誕生した**麻太郎**を養子に迎え、跡取りとしている。

香苗

通之進の妻。旗本・麻生源右衛門の娘。通之進とは幼なじみで、相思相愛の仲だった。だが、子宝には恵まれず、実子はない。おっとりとした性格だが、東吾とるいが人目を忍ぶ仲だったころから、なんとか一緒にさせてやりたいと、何くれとなく面倒を見てきた。東吾にとっては頭の上がらない、やさしい義姉である。

畝《うね》源三郎

八丁堀の定廻り同心。東吾とは学問も剣術も同門の幼なじみだが、吟味方与力を兄に持つ東吾にはけじめのある話し方をする律儀な男。

年は若いが腕利きの同心として鳴らしている。無類の早足で江戸中を駆け回って、下手人を探索する毎日だ。粋で聞こえる八丁堀同心の中にあって、野暮といわれるほど身なりにこだわらず、市井の些細な揉め事にも相談に乗ってやるので、世間の評判もいい。

長く独身だったが、通之進と東吾のはからいで意中の人お千絵と夫婦になった。

千絵

源三郎の妻。悪旗本に斬殺された札差・江原屋佐兵衛の娘。

源三郎の祝言に手伝いに行っていたところ、花嫁が突然姿を消したため、通之進と東吾の機転で仮の花嫁になった。ところが前々から二人はお互いに恋心を抱いていたことがわかり、そのまま本当の夫婦となった（「源三郎祝言」）。背の高い美人である。一度は流産したが、その後、長男の**源太郎**と長女の**千代**を儲けた。

源太郎は父親が激務で留守がちなため、子ども好きで手先が器用な東吾に、幼いころから懐《なつ》いていた。少年になって、東吾への敬慕の念はますます高じて、今度は剣術の手ほどきを受けるのを楽しみにしている。親譲りの律儀な男になりそうだ。

麻生宗太郎

将軍家御典医・天野宗伯の息子だが、家督を異母弟に譲るため、家を出て長崎に留学する。江戸に戻ってから、ある事件をきっかけに東吾と知り合い、友人となる（「美男の医者」）。東吾たちが巻き込まれる事件に、医者としての立場から助言することもしばしばある。

後に香苗の妹の七重と夫婦となり、麻生家の婿となる。名医だが子どもには目がなく、時に東吾たちを呆れさせている。

ちなみに天野家は三男の宗三郎が継ぎ、次男の宗二郎は母方の実家で、将軍家奥医師の最上位・典薬頭を務める今大路家を継ぐ予定である。

七重

麻生源右衛門の次女で、香苗の妹。目鼻立ちのはっきりした明るい性格。幼なじみの東吾を好いていたが、るいの存在を知り身を引いた。宗太郎と結婚してからは**花世**と**小太郎**の二子に恵まれた。花世はままごと遊びよりも剣術の稽古を好むおてんばで、

船にのって外国に行ってみたいと話すことも。おてんばのせいか事件に巻き込まれたりもする（「花世の冒険」）。

麻生源右衛門

西丸御留守居役を務めた旗本。東吾たちの父とは竹馬の友だったため、「命あるうちに、神林家の跡取りをしかと見届けたい」が口癖だった。るいの存在を知るまでは、七重の婿に東吾をと、たびたび通之進に申し入れていた。

なかなか捕まらぬ盗賊に業を煮やして、自家の家宝をおとりにして捕まえようとしたこともあるほど血気盛んな老人だが、最近お役目を辞して隠居し、花世と小太郎という二人の孫の相手をするのが、もっとも幸福な時間となっているようだ。

長助

深川佐賀町の蕎麦屋・長寿庵の主で腕利きの岡っ引。五十がらみの温厚な男だが、目つきは鋭い。商売は息子の長太郎と女房のおえいにまかせて、源三郎とともに江戸の町を走り回っている。「かわせみ」にもしじゅう出入りし、蕎麦粉を届けるついでに、東吾に捕物の相談に乗ってもらったりしている。

松浦方斎

狸穴の道場・方月館の主で、直心影流の達人。生涯妻帯せず、子もない。温厚な人柄で、儒学の造詣が深い。

高齢で脚気の持病もあるため、道場には東吾に代稽古に通ってもらい、自分はもっぱら土いじりを楽しむようになった。刀剣の鑑定家としても名が高い。

おとせ

薬種問屋の後妻であったが、先妻の子の事件で疑いを受けたため離縁した。東吾の仲介で、悴《せがれ》の正吉とともに方月館の松浦方斎に奉公することとなり、以後、家事一切をまかされる。

代稽古に通う東吾は、方月館に泊まることも多かったため、祝言を挙げるまではるいにとって気になる存在であった。

善助

方月館の下僕。おとせ母子が来るまでは、方斎の身辺の雑事をやっていた。

桶屋の仙五郎

飯倉を縄張りとする岡っ引で、本業は桶屋。気のいい律儀な男で、源三郎や東吾にも信用が厚い。

永代の文吾兵衛

本所深川の盛り場や岡場所を取りしきっている元締で、江戸中の博徒が一目置く大親分。迷子になった花世を助けたのがきっかけで「かわせみ」の面々と誼《よしみ》を通じ、悴の小文吾ともども東吾たちの捕物を手伝ったりしている。若い頃は相撲取りを志したこともあるという大男で、もじゃもじゃの顎髭を生やしているので、花世は「ひげもじゃもじゃ」と呼んでいる。

斎藤弥九郎

岡田十松の撃剣館に学び、後に飯田町に練兵館を開く。元は東吾の兄弟子だが、師匠の死後は改めて師弟の契りを結んだ。東吾の剣を〝春風駘蕩の剣〟と呼び、絶賛する。東吾が講武所教授方に取り立てられるきっかけを作った。

流派は神道無念流。幕末を代表する剣豪で、桃井春蔵、千葉周作と並んで「幕末三剣客」と言われる。「かわせみ」には数少ない、実在の登場人物である。

勝海舟

幕末期の幕府を代表する政治家で、もちろん実在の人物。江戸城開城の折の西郷隆盛との談判で有名だが、「かわせみ」の物語の当時は軍艦操練所教授方頭取などを務めていた。海に強く、武芸にも秀でた東吾を高く買っている。

「御宿かわせみ」を演じた役者たち

活字の世界と同様に、「かわせみ」はテレビや舞台でも多くのファンを魅了している。るいや東吾を演じた俳優たちの、興味深い楽屋話の数々をご紹介しよう

新珠三千代、田村亮、小野田正、平岩弓枝

著者とも親しい新珠・田村の両人と演出家の小野田氏が、平岩氏を相手に舞台では見せない苦労話を披露

るいが東吾の隠し子に気づく日

田村　この時期に平岩先生にお目にかかると、どうしても思い出してしまうんです、人生最大の失敗を（笑）。帝劇で『かわせみ』をやらせていただいたとき、雪で公演に遅刻しちゃったんです。

平岩　あれ、一月でしたっけ？

田村　正月公演。渋滞を計算に入れて、三時間前に家を出たんですよ。高速が閉鎖される前に乗れれば、絶対空いてるだろうと思いましてね。ところがチェーンを持っていないトラックが下り坂が怖くて止まってしまって、そのためにぜんぜん動かない。

平岩　亮ちゃんは真面目すぎるから。三時間も前に出発して、かえって災難にあうなんてねえ。でも、演出家の小野田さんとしては心配だったでしょう。

小野田　雪だったんで、何か事故でもあったら、と思って劇場に行ったんです。そうし

たら主役の田村さんが来ない。そのうちに電話が入ったんで、とりあえず三十分遅れで幕を開けました。

田村 それでも間に合わなくて、一景だけ、代役をたてたんです。

平岩 そうそう、思い出した。それで袴をはき替えに、隣の部屋に入るときに入れ替わったんですよね。

東吾がおるいさんのところで袴を脱いで寛《くつろ》いでいたら、兄さんが来たんで、慌てて隣の部屋へとび込んで、袴はいて出てくるシーンがあるんです。そのときに代役の人と入れ替わったら、物凄い拍手だったそうなんです。

田村 もう……。

平岩 その後が可愛くないんですよ、亮ちゃんは。私は、その日、大阪にいて、事情を知ったものだから慌てて東京に戻ったんですよ。ところがこちらも雪で新幹線が停まって、深夜ようやく東京にたどり着いた。小野田さんに事情を聞いたら「亮さんは、ショックだったようだから、怒らないでください」とおっしゃる。私もむしろ慰めようと思って翌日劇場へ行ったら、彼氏がニコニコして、「凄かったんですよ、僕に替わったときの拍手は」って（笑）。もう何を言う気力もなくなるっていうのはああいうときのことでね。

田村 ハハハハハハ。

平岩 「大変だったわね」と、口まで出そうになったけど、何も言えない。「あ、そう？」って（笑）。
新珠 私も『かわせみ』は大好きな作品なんです。ちょっと自慢してもいいですか。
平岩 どうぞ。
新珠 いままで見たおるいさんの中で、いちばん私が合ってるって、何回も大阪まで見に来ていただいた人がいらっしゃるんです。私はそれまで全く知らない人だったのに。
平岩 たしかに馨ちゃん（新珠さんの本名）とおるいさん、感じが似ています。
新珠 そうですか。ちょっと自慢（笑）。
田村 大阪でやったのは何年前でしたっけ？
小野田 五年前の平成三年です。
新珠 私も大失敗してるんです（笑）。転んだんですよ。格子戸のところにひっかかって、すてーんと。
田村 そうそう。僕もあの時はどうしようか、と思いましたよ。
平岩 でも、馨ちゃんも負けず嫌いで、「転んだんですって？」って聞いたら、「お客は、転ぶ芝居だと思ったのよ」って。
新珠 ハハハハ。
平岩 あまりの嬉しさに、転ぶおるいさんなんているんでしょうか（笑）。でも、鬘《かつら》が飛ばなくてよかったね。
田村 飛んだらおしまいでしたね。あのとき少しずれたでしょう。

新珠　ちょっとずれたかな、と思ったんだけど、触ったらたいしたことなかったの。鬘を触らなきゃ転ぶ芝居だと思ってもらえたかもしれないのに、ちょっと触ったから、あ、転んだってわかってしまった（笑）。

田村　なるほど。

新珠　でも、みんな酷《ひど》いのよ。その後お客さんがどーっと笑うと、楽屋にいるメンバーが皆、「あ、また転んだな」って言ってたんだって（笑）。

平岩　馨ちゃんてよく転ぶね。

田村　名古屋でも転びましたね（笑）。

新珠　あれはしようがないんですよ。舞台稽古で、前に進んだら、そこにコードがあって引っ掛かったんです。足の親指を骨折して歩けなかったんですからね。

小野田　二つ出たから、もう一つ。帝劇でも転びましたね。

平岩　『恋歌』。

新珠　そうそう。鹿鳴館の、ローブ・デコルテみたいなのを着て出てくるシーンがありまして、回り舞台にちょっと隙間があいてたの。だからツツツーと出てきたら、それにツンとひっかかって、バッターンと（笑）。

平岩　なんで、私のお芝居のときばかり転ぶんでしょうね（笑）。でも、亮ちゃんと新珠さんて、意外と夫婦役が多いのね。

小野田　まず『お市と三姉妹』ですね。

平岩　『千姫』に『かわせみ』。
田村　現代劇でも、人力車に乗せたことがありました。『嫁の座』。
平岩　やっぱり、多い。でも、夫婦の場合、いつも年上でしょ。
新珠　ん？
田村　アハハハハハ。

現在の東吾は三十五歳？

平岩　こんな話ばかりしていると、なんだか失敗ばかりのお芝居のようですけれど、新珠・田村コンビの『かわせみ』は、私も満足している内容だったんです。お芝居にすると、るいというキャラクターは女房役ですから、少し地味なんです。新珠さんは、それでもるいの役をやりたい、と言ってくださった。
新珠　だって、とても好きなんです。
平岩　作家としては、大変有り難いお話なんですが、脚本家としては、それに甘えてばかりもいられないので、少し工夫をして、小説に水戸騒動を加えたんです。結果的には成功したと思っています。
小野田　私としても、舞台の上に作者のメモ通りの『かわせみ』を再現したりして、いろんな冒険をさせていただきましたね。

どうですか。芝居を書くことによって、逆に小説に影響を与える、ということはありませんか？

平岩　実は亮ちゃんに会うたびに困ってしまうんです。東吾さんを書くときに、どんどん似て来るんですよ。

田村　僕のこの年齢になってから東吾をやらしてもらったほうがよかったかなと思ったりもするんです。五年前にやったのはちょっと若輩すぎたかな、と。

平岩　たしかに、そういう感じはしますね。東吾さんて、いちばん最初に私が書いたときは二十五ぐらいの設定だったんです。それから十八冊書いたのだから、まあ十年は経過しています（座談会は平成八年）。そうすると現在の東吾さんは三十五歳。亮ちゃんの実年齢にやや近くなってきてるわけですよ。

小野田　舞台では、若い人がやるより、ある程度年をとった人がやったほうが、安心して見ることができますからね。

平岩　特に時代物はそうですね。時代物をやるときは、仮に二十五の役をするとしたらね、三十五から四十ぐらいの人がやらないとムリだと思うんです。ところで、東吾さん、あなたに隠し子がいるのよ。どうする？

田村　えっ、東吾さんに？

平岩　そう、隠し子がいるのよ。ここにおるいさんがいるけれど、まずいこと言っちゃったかな（笑）。

田村　でもそういうほうがいいですよ、そのぐらいのほうが。

平岩　亮ちゃんらしくてね（笑）。

田村　いや、東吾さんの話でしょ（笑）。

新珠　でも、非常によく似てらっしゃいますので（笑）。

平岩　話がだんだん危なくなっちゃった。いま、その隠し子をいつ出すか考えているんですよ。前に少しだけ書いたら、読者がずいぶん気にしてくださっているようで、どうなるのかって問い合わせがあるくらいなんです。でも、これがバレるとおるいさんが怒るよねえ。

新珠　そりゃあそうですよ。

田村　いやあ、僕はおるいさんは、「また冗談言って」とか言って、ぜんぜん気がつかないような気がするなあ。

平岩　そういう女性かもしれませんね（笑）。でも、やっぱり少しは人間性がないといけないから……。

新珠　誰の子なんですか？

小野田　気になるようですね、やはり（笑）。

平岩　東吾さんの幼馴染みで、本所の旗本の娘七重ちゃんの友だち。

田村　七重って、香苗の妹ですよね。

平岩　実の妹。

小野田　ほんとは結婚するはずだったのに、し損ねちゃった。

平岩　私、この間つくづく悟ったことがあるの。『かわせみ』の中で、私がいちばん似ている人間ってお吉じゃないかって。

新珠　お吉ですか？

平岩　女子大の友だちみんなに言われたの。「あの中に平岩さんがモデルとしか思えない人がいますよね」と言うから、おるいさんぐらいのこと言ってくれるかと思って、ニコニコして、「自分のことは書けないもんですよ」なんて言ってたら、「だって、あのお吉っていうのはあなたにそっくりじゃない」って。そう言われてみればそうだ、似てる。

田村　テレビでは、結城美栄子さんの役。

小野田　大阪では曾我廼家鶴蝶さん。

平岩　長いこと書いてると、なんとなく似てくるんですよ。書き出すときは、私は俳優さんをイメージして、その役をつくることはないの。けれども、一旦俳優さんが演じてしまうと、だんだん似てくるんですよ。さっきも言ったけれど、東吾さんは亮ちゃんのイメージにあまりに合っていたから、書く時に楽だけど、そのうち、欠点もよく出てきたでしょ。東吾さんて、欠点のないひとだったのに。

田村　ということは、東吾さんの欠点は私の欠点ということですか？

平岩　まあまあ（笑）。でも、畝源三郎さんはイメージがまだ出てこないんですよ。いままでどの人がやっても、違うなと思ってるわけ。

宗太郎は、中島久之さんがかなりイメージに近いんだろうなあと思う。

小野田　キャスティングを相談されても、イメージが出てこなくて困ることもあるんですか。

平岩　特にテレビは難しいですね。もう一度テレビ化しようという話も出ているんですが、テレビは視聴者の層によってもイメージがずいぶん違ってくるでしょう。特に東吾が三十五、るいが三十六、七となってくると、実際の役者さんの年齢からも選ぶのが難しい。

私の失敗は、畝さんの家に子供をつくったことなんです。おとなは、年齢不詳で進行してもいいんだけれど、子供は、三つになった、四つになった、お節句だ、と書き込まざるをえないでしょう。そうすると、あれから五年経ってるということになってきて、同時に東吾さんも五年、年を取ってるっていうことになってしまう。なかには、おるいさんももう難産になるから、子供は止めたほうがいい、とおっしゃってくださる読者もいるんです。

吉原に詳しい東吾

小野田　新歌舞伎座でやるときに、私も調べましたよ。お吉がおるいさんより上ですよね、何作か前に、お吉は三十をちょっと過ぎたと書いてあって、そのあと、四十をちょっと過ぎた……と書いてあるから、じゃあ、おるいさんは、それより下だから大丈夫だと思った。

平岩　私のイメージの中では、まだ三十代なんですけどね。

小野田　新歌舞伎座でやったときは、「薬研堀の猫」と、「浮世小路の女」と「狐の嫁入り」をくっつけたんですよね。あのときは、今、もっとも話題の吉川十和子さんも出ていた。

新珠　出てましたね。

小野田　偶然、平岩先生と一緒に楽屋に行ったんですよ。そうしたら、先生のお嬢さんの同級生だとか言って（笑）。

平岩　そうそう。綺麗な娘さん。東吾さんて、だいたい男からも女からも嫌われないのね。でも、実際に東吾さんの傍にいたら大変だろうと思うわ。手はかかるし。

新珠　おるいさんもそう思います。アハハハハ。

田村　なんだか雲行きが怪しいですね。でも、隠し子がいると聞いて、僕、ほっとしたところがありますよ。

平岩　そうでしょう（笑）。だいたい亮ちゃんは少しやくざなところがあるからね。

田村　いや、そういうことじゃなくて（笑）。僕のことじゃないですよ。

平岩　つまり、人間として、そのほうが演じやすいんでしょう。

田村　ええ、あんまり聖人君子じゃね。五時に会社終わって、六時には家に帰る人よりも、魅力がありますよ。

平岩　東吾さんはけっこう遊んでるみたいですよ。吉原のことも詳しいし、すでに私が書いているだけでも相手は、二人か三人います。「白萩屋敷の月」だってそうでしょう。あれは、明らかに寝ているんだけど、読者もあのときは文句を言ってこなかったなあ。そう考えると、聖人君子じゃないほうがいいわけですね。

でも、江戸時代というのは、そういうことを浮気の、不倫のと言わない時代だったんですよ。

田村　僕もそう思います。

平岩　いまの時代は、阿呆で野暮だから、何かっていうと大さわぎするけれども、あの時代は、航空母艦さえ大事にしてれば、外で遊んできたってどうってことはないの。外でモテない旦那なんてしようがない。そういう感じ方の時代ですよ。もっとも、新珠さんはだめですね？

新珠　え？

平岩　だから、東吾さんが少しは外でモテたほうがいいと思うでしょう。だめ？

新珠　うーん……。

平岩　だいたいおるいさんて、やきもち焼きなのよね。

新珠　私自身はあんまりやきもちは焼かない（笑）。

平岩　でも、おるいさんと新珠さんには共通点があるんですよ。

新珠　何ですか。

平岩　絶対お料理はしない（笑）。おるいさんは、せいぜいお燗《かん》するか、お鍋の傍につ
いてるぐらいよね。その点、理想なんだ、私も（笑）。台所、あまりやらないでしょ？

新珠　まあやりませんね。

平岩　そうでしょう、そうでしょう。よくもらってくれたわね、東吾さんが（笑）。ただし、女の不倫は、江戸の場合はだめです。結局、江戸のモラルを、現代のモラルで考えてはいけないんですね。

小野田　でも、読むほうは、現代人でしょう。小説の中でモラルが当時とは違うとは書けませんよね。

平岩　そう。突然ひらき直って、東吾さんが「現代とは違うんだ」ってわめくわけにいかないから、そのへんは作家の苦労するところですね。

　いくら男の浮気は公認とはいえども、隠し子が発覚したら、おるいさんは怒るし、泣くし、嘆くし、苦しむでしょうね。これは現代だって同じだと思うんです。内面の苦しみは、やっぱり現代と同じだから、そういう形で書いてゆくしかない。

小野田　どうですか？　役者さんとしても、昔の人を演じるときって、そういう感情とか、情愛とか、そういうところから理解していくしかないですよね。

田村　感情は、現代と同じでしょうね。

平岩　そう。人間そのものに変化がそれほどあるわけじゃないですから。

ただ、いいことは、仮に隠し子が発覚しても男の人がいまのように追い詰められないということですね。そういう意味では東吾さんは得だなっていう気がする。

田村 親父（阪東妻三郎）が祇園に居続けの時期があったんですって。おふくろはどう感じてたか知らないけど、番頭さんに、「そろそろ単物《ひとえもの》の時期だから、運んであげてください」と言ったそうです。もちろん、おふくろだって、カッカきてたと思うんですよ。でも、季節がそろそろ五月、六月、単物の時期だから、袷《あわせ》でいると親父が恥をかくから、あっちに運ばせた。

平岩 やっぱりそれがその時代の女の人の気持ちよね。少し前までは、日本の女は、江戸の女の気持ちを保ってきたわけですよ。

田村 おふくろは、出が四国ですからね、ちっちゃいとき、自分も髷を結ってて、まだ丁髷《ちょんまげ》切らないで、刀差して歩いてる人が、通りかかったっていうんです。

平岩 うちの母たちとほぼ同年でしょうね。私なんかもおるいさんを書くときには、その感じで書いてるんですよ。

これは日本のいい女なのね。可哀相なところもあるけれど。でもね、それを現代の人が解釈して、自分を抑えつけて、自分がなくって、流されて辛抱してるだけじゃないかっていうのは、これまた間違いだと思う。その人たちには、その人たちの、信念なり、プライドがあると思うの。女房として、亭主に恥をかかせないために、こういうことをするというのは、女房なんですよという一つのプライドだと思うのね。

逆にいうと、いまの女の人は、女房として、それだけのプライドを持ってるかっていったら、危なっかしい。
小野田　でも、このメンバーで海外にゆきたいですねえ。
新珠　行きたい！
小野田　『かわせみ』では日本ばっかりだもん（笑）。
田村　海外公演に持って行けばいいんですよ。
平岩　東吾さん、いま軍艦操練所で働いてんですよ。いずれあのグループはアメリカに行くわけだから、新大陸かなんかに行って……。
田村　とりあえずハワイ公演を……。
平岩　やりますか。その前に、『かわせみ』の別バージョンをもういっぺん舞台でやりたいな。
新珠　うん。
田村　この年になったからこそ、やりたくなりますね。
新珠　ねえ、やりましょう。

東吾と田村亮の共通点

小野田　亮さんは、やっぱり東吾が演じたい？

田村 うーん、悩むなあ。ひとつのイメージが固定されると、プロデューサーはそういうイメージの役しか持ってこないんです。花登筐先生の『どてらい男《やつ》』を三年やったあとなんか、そのあと数年間、そういう役しかきませんもん。

平岩 いかにプロデューサーが不勉強でいい加減か。

田村 これは書いといてください、平岩先生のコメントで（笑）。

平岩 でも亮ちゃん、わりあいにいろんな役をやったときもあったでしょう。

田村 ええ、犯人役もやって。犯人やると視聴率よかったりして（笑）。

新珠 やんなっちゃうわね。

平岩 でも、犯人ってけっこう面白いでしょ。

田村 面白いです。僕なんか『太陽がいっぱい』とか、ああいう役柄をやってみたいですね。

小野田 ほんとうは、『かわせみ』の舞台の場合でも、犯人のほうが面白いんですよ。ストーリー展開としては、犯人中心に動いたほうがダイナミックな舞台になります。

平岩 たしかにそうですね。

小野田 亮さん、犯人どう？

平岩 東吾さんが犯人だったら……。

小野田 瓜二つの犯人（笑）。

新珠 二役。

平岩　でも、東吾さんは役としては女難剣難があるから、まだいいのよね。それに単純な二枚目ではないですね、兄さんが怖いし……。

小野田　兄さんが怖いところがいいですね。

平岩　あのお兄さんて私好きなんですよ。『かわせみ』の中でいちばんカッコイイのはあのお兄さんですよね。何たって美男の典型だし、だから難しいという面もある。誰にしたらいいのって言われると困っちゃう。強いて言うと先代の團十郎ね。

田村　先代？　十一代目ですか？

平岩　ええ、イメージから言うと。でも、もうちょっと若いほうがいい。

田村　ああ、なるほど。

平岩　昔、松緑さんがおっしゃったんですけど、兄貴としてはなかなか怖かったんですって。

小野田　じゃ、兄さんの要素はちょっとあるんですね。

平岩　と言って、べつにわからず屋じゃないんだけれど。

小野田　あのお兄さん夫婦というのは、意外と要《かなめ》じゃないかな。

平岩　でも亮ちゃんは、あの兄さんはやろうと思わないでしょ。

田村　はあ。

平岩　東吾さんと亮ちゃんには共通点がありますね。

田村　どこでしょうか？

平岩 第一に明るさだと思う。と言って陰気な芝居ができない人じゃないんだけど、私は、亮ちゃんの陰気な芝居って好きじゃない。

新珠 私も好きじゃない。

平岩 どちらかというと、にやにや笑ってるのがいいの。二・五枚目ぐらいがいいんですよ。あくまでもハンサムじゃなきゃ困るんだけれど、二・五の趣きがいる。

田村 僕も、三枚目が好きなんですけれど。

平岩 ハンサムな人の三枚目って面白いんだけど、それはほんとの三枚目にはならないのよ。

新珠 やっぱり明るい二枚目よ。それが二枚目半。

田村 だから名高君とご一緒させてもらった『嫁の座』は好きでしたよ。

淡島さんと名高君ができちゃうんです。それでね、新珠さんが名高君にお説教するの。「何よ、そんな年上の、不潔ッ。どんな人ッ」。そしたら結局、年下の僕と新珠さんも一緒になっちゃって、そのプロセスだけでも面白い(笑)。

平岩 それにしても今度『かわせみ』をやるときには、どういう工夫をしましょうか、「白萩屋敷の月」がいいかもしれない。

田村 あれは顔の半分を火傷している人が……。

平岩 それと兄さんが非常に重要な役になってきますね。ただし、あれだけではおるいさんが活躍する場面がないから、なんか一つ話をつけなきゃ。

小野田　だいたい芝居にするときには小説を二つとか三つ重ねるわけですが……。
平岩　二つぐらいがいいと思いますね。
小野田　僕は宗太郎も好きですね。
平岩　私も、宗太郎さん好きなのよ。宗太郎さんが出るとすると……「美男の医者」ですか。
小野田　おるいさんが小太刀を使うのがありますね。
平岩　るいがさらわれていくストーリー、「秋色佃島」もいいですね、少し古いけど。狸穴《まみあな》の方月館も舞台にしたいから、その場合は「秘曲」。こう考えるとずいぶん舞台になりますねえ。
小野田　もう一つだいじなことを忘れていますよ。亮さんの裃《かみしも》姿。『絵島生島』で新珠さんと田村さんが共演したときに、亮さんの裃姿に二人が感じ入った。それ以来裃は、トレードマーク。
平岩　かならず着せようってことになったの（笑）。こんなに似合う人もめずらしい。
田村　でもあれは音がしていやなんだ。
平岩　それがいいんですよ。それがカッコイイ、衣擦《きぬず》れってそこから出てるんだから。
小野田　あれから『千姫』でも裃だったから『かわせみ』だって着せた。
田村　そう、お正月に駕籠で帰るところ。
新珠　面白かったわ。

田村　僕はむしろ着流しが好きなんだけど。

平岩　着流しも悪くはないんだけど、袴穿《は》いてるほうが似合うもの。

小野田　ところで、最後に最近の江戸ブームについてどう思われます？　最近下町と言われているところは、実際には下町ではないでしょう。あれは本来ならば新開地ですね。江戸っ子が馬鹿にしていたところです。そこをいま下町といってもて囃しているけれど、ほんとは田舎ですよね。

平岩　ほんとの下町というのは神田、浅草を言うんでしょうね。本所、深川というのは、ダウンタウンという意味では下町だろうけれど、新開地ですね。ましてや向島なんか当時は田舎です。川越えりゃ葛飾でしょう。

小野田　山の手だっていま渋谷や世田谷、目黒と言いますけど、ほんとは本郷でしょう。本郷、市ヶ谷。市ヶ谷も入らないか。

平岩　不忍池から、上のところ。本郷菊坂から湯島の聖堂があって駿河台。それが少し広がって、ま、それまででしょうねえ。

田村　世田谷だって、昔、畠でしたね。

平岩　最近のいわゆる雑文の中に書かれてる江戸の雰囲気というのは、本当の江戸ではないと、私は思うようになってるんです。本当の江戸はもう闇の中。

新珠　だから、本当の江戸を伝えるお芝居を『かわせみ』でやりましょう。

平岩　結論が出たみたいですね（笑）。

名取裕子、沢口靖子、平岩弓枝

おるいさんは女の理想

舞台とドラマでるいを演じた二人の女優と平岩氏が、江戸の女の魅力を探る

平岩　お二人とも、おるいさんを演じられてご苦労なされたでしょう。そのへんのお話をそれぞれ伺いたいなあと思うんです。原作を書くときの参考にもなりますし。

名取　実は私、沢口さんの『かわせみ』の演出をやった星田良子さんとはお友だちなんですよ。

沢口　あっ、そうなんですか。

名取　それで、今日のお話をしたら、お二人にくれぐれもよろしく、っておっしゃってました。

平岩　そう、私もあの人とは古いおつきあいなのよ。TBSでドラマを書いていたころからの……。

名取　えっ、それは知りませんでした。電話で、テーマはおるいについてなのよって話

したら、彼女がおるいの魅力を延々と語って止まらなくなっちゃって（笑）。

沢口 ほんとに星田さん、すごく力が入ってましたね。『かわせみ』の世界が大好きなんだと思います。

名取 透明感のあるすごくいい映像に仕上がってますし、年末に放送された「冬の月」なんて、切なくてとても良かった。でも、原作の持っている雰囲気を連続ドラマで出すのはすごく難しいでしょう。

沢口 そうですね。私も原作を繰り返し読んで、るいのイメージを私なりに工夫してはいるんですけれど、難しいです。

名取 それに真野響子さんがＮＨＫで演じたおるいのイメージが強いしね。

平岩 いまだにそれを言う人がいるわね。何度も再放送をしたせいもあるんでしょうけれど。でも、あれはずいぶん昔のものなんですよ。

沢口 いつごろのものなんですか。

平岩 もう十七、八年になるんじゃないかしら。だって原作が二十数本しかないころで、もう少し続けたいんだけれど、何しろ原作がないんでお終《しま》い、ってなったんですから。

名取 私がそれまで知っていた時代劇というと『隠密剣士』のようなものばかり。男の人が立ち回りで活躍するものときまっていたのに、『かわせみ』はどこか違っていて、女の人情話のような世界が中心になってますでしょう。それですごく印象に残っているんです。まだ学生だったころのような気がするんですが。

平岩　私も、もともと捕物帳を書こうと思って始めたわけじゃないから。『グランドホテル』って映画がとても面白くて、いつか、旅籠《はたご》を舞台にしてああいうものができないかしらって思ったことがきっかけなんです。宿屋にやってきた人が何か事件に巻き込まれるとかね。だから、おっしゃるように単なる捕物帳とは違うし、普通の時代物と違うと感じるんだろうと思います。

名取さんのおるいさんは舞台でしょう。本当は、舞台の場合は捕物帳の部分を抜いて作ったほうが充実するんだろうと思うんですよね。でも、お客さんが捕物のニュアンスも望んでいるからという考えの人もあって、ちょっと入れるんだけれども。次は純然たる人情話として書いたほうがいいかなという気もあるんです。テレビの場合は少し違いますがねえ。

沢口　はい。一話完結で続いていきますから、その回その回のドラマがどうしても必要なんだろうと思います。

平岩　でも、一話完結でやっていくと、おるいさんが前面に出るときと、あまり登場しないときがあるような気がするんだけれど。

沢口　これまではそんなにバラツキはないと思いますが。

平岩　そうですか。原作では、おるいさんがずっと出てるときと、いやに出てこないなというときがあるんですよね（笑）。

沢口　たしかにそうですね。

平岩　書いている本人は小説だからいいじゃないかと思っているんですが、おるいさんが出ないと読者から苦情の手紙がきちゃう。今回は三行しか出てなかったとか、すごい剣幕で怒られちゃったり（笑）。

沢口　おるいさんの熱烈なファンというのがいるんですね。それはよくわかります。

平岩　それでね、実はいま大変なんです。東吾に隠し子がいるという設定を作ってしまったもので、おるいさんがそれを知ったときのことを考えると、ろくにものも食べられないというファンまで出てきちゃって。女の敵だなんて書かれて、脅迫されてる（笑）。へたやっちゃったなあと困ってるんですよ、正直なところ。

名取　東吾様は女の敵、ですか（笑）。

平岩　そういうことを書いた作者も、女にしては不届きだと（笑）。

沢口　ハハハ。おるいさんに完全に自分を重ねて読んでいるんでしょうね。

おるいは都合のいい女!?

平岩　お二人はどういうおるいさんを表現したいと考えました？

名取　私なりの解釈ですから……。

平岩　もちろん、それでいいんです。

名取　おるいって、ひとつ間違うと男にとってとっても都合のいい女になってしまうじゃないですか。耐える女で、こんがり焼きもちは焼くけれど、けっして黒こげにはしないんですね。もっと楽な生き方、たとえば婿養子を迎えて武家を継ぐこともできたのに、一途に自分に思いを寄せて、いつ行っても自分を待っていてくれる。しかも、もっと都合のいいことに、経済的にも自立していて、親身な使用人たちに囲まれてちゃんとした生活の基盤もあるんですから。

そういう女って、男にとってはとっても都合のいい耐え忍ぶ女になっちゃう可能性もあると思うんです。でも、そういうおるいはいやだというか……。

平岩 うーん……。

名取 やっぱり、可愛い女である一方で、凜《りん》としたものを持っている女として演じたいと思いましたね。ただ弱々しくて守ってあげたくなるような女じゃないし、かといって勝気でお俠《きゃん》な、とも違う。で、一つ年上の切なさみたいなものを秘めてるわけだから、ただの娘じゃない大人の女なわけでしょう。そのうえ、お嬢さまって呼ばれる立場の人間で、それでいて、いつも転んで瘤《こぶ》を作っているようなドジな部分もあって……。

平岩 欲張りねえ（笑）。

名取 まだまだあるんですよ（笑）。なんとなく、いつもおっとりしていて、それでいて人を惹きつける魅力も持っていて……。

平岩 ますます難しくなる。

名取 そうなんですよ。そして、さっき先生がおっしゃったグランドホテル形式だから、物語の中ではいつも受け身でいなくちゃならないわけで……。自分のほうからことを起こすわけじゃないし、解決するわけでもない。事件が主役の物語じゃないから、身の回りで何かことが起こったときに、それを自分の心に照り返して、その思いを、同じ目線でもって東吾様にはっきりと告げる。あの人はどうしてこんな辛い目に遭わなきゃならないんでしょうね、どうしてこんなに不条理なんでしょうね……そういう、世の中に対するきちんとしたものの見方を持っていて、それを声高にわめくんじゃなく、ぽっと東吾様にぶつけていける。

そういう人なんですよね、おるいという女性は。だから、これを私がやろうというのがそもそもおこがましい（笑）。

平岩　そんなことはないでしょう。

名取　でも難しいですよね。

平岩　難しい役だと思うんですよ、私も。だって今回舞台の脚本を書いて、やっぱり難しいって感じましたもの。名取さんが『かわせみ』をやるといったら、名取さんが主役、つまりおるいさんを中心に本を書いていかなきゃならないし、事実、そうしなければ芝居としては華やかにならないんだけれど、かといって、じゃあどこで芝居をする場面を作るかといったら、これは難しい。おっしゃるように、おるいさんは私が私がとしゃしゃり出るわけにはいかないんだから。

名取　女鼠小僧で、夜は変装して立ち回りをやるという役なら、わかりやすくてとってもやりやすいんですけど（笑）。自分も凜とした強い考えを持っていて、しかも人の世の様を心で照り返すという役ですから。

平岩　私、それを最近悟ったんです。こんなに書きにくいおるいさんを書いているってことが、逆に読者の方からすると自分と同じ目線というふうになるのかな、と。読者が女性の場合ですけれども。それで、隠し子のような反応になるのかな、もしかしたら。

沢口さんはどんなおるいを演じたいと思った？

沢口　そうですね。私は娘ではない、大人の女を表現したいなあと思っているんです。このお話は東吾とるいの恋愛模様が縦軸になっていますが、一方では毎回『かわせみ』にかかわる事件とか、人間模様というのがありますよね。

平岩　テレビではどうしてもそれが中心にならざるを得ませんよね。

沢口　私は、そうした事件にかかわる人の人生にいつも真っ直ぐに、誠実に向き合っていくるいを演じたいと思っているんです。たとえ悪人であっても、その人の人生に教えられることもあると思うんです。そういうことにきちんと向き合って、泣いたり笑ったり怒ったり共感したり、そんな人間を表現することが、るいを演じる場合に大切なことなんじゃないかなと。

平岩　やってみてどう？

沢口　いま後半を収録してるんですけれども、やっぱり難しい（笑）。原作を読むと、ふだんは女将さんとして凜としているんだけれども、東吾さんの前ではときに甘えたり焼きもちを焼いたり、すごく可愛い面を持っている女性ですよね。私に女将さんらしさって出せるのか最初は悩んだんですけれども、そもそも、東吾がるいのひとつ年下という設定にしても、相手が村上弘明さんでは、とうてい年下には見えませんし(笑)。

平岩　たしかに彼、大きいし……。

沢口　脚本もそのへんは配慮してくれていますので、等身大の自分というか、あまり無理して女将さんらしさを出そうなんてしないで、自分の心に感じるままに演じようかなと思っているんですが……。思い切り甘えてしまうかわりに、でも、ときにるいが母親のように見えるときもあって、東吾さんが帰ってくる『かわせみ』というのはほっとする、彼にとって母親のような場所である、そんな雰囲気を出すことができればと思っているんです。

おるいはどんな顔してる?

平岩　お二人のお話を聞いていて思ったのは、やっぱり共通のおるいさんをやってるんだってことですね。

実を言うと、舞台やテレビを拝見する前は、きっと違うおるいさんになるんじゃないかと思っていたんですよ。それこそお二人は姿が全然違うし、顔だって、美人であるという共通点を除いては違いますよね。ところが、おるいさんの持っている自主性とか、子供っぽさとか、甘えの部分とか、それこそ凜としてるところとか、表現しようとしているものは共通している。だから、それぞれの形で演じ分けても、そのクリエイトされたおるいさんの像というのは同じになってくる。不思議とどちらのおるいさんも抵抗を感じないんです。

沢口　面白いですね。

平岩　でも、それにはね、ひとつ秘密があったんですよ。原作を読み返してみたんですけれど、やっぱりおるいさんに関しては外見の描写をしていないんです、私は。つまり背が高いのか小柄なのか、どんな鼻をしていて、目はどんな形なのか、ひとつも触れていないのね。たしかに雰囲気は書いてあるんです。でも具体的な外見は書いてないの。

名取　あんなにはっきりした人間像を感じるのに、不思議。

平岩　だから、外見はどうであっても違和感はないんでしょう。

　そもそも、私は小説の中であまり外見を書かない作家なんだろうと思うんです。じゃあどういう方法で人物のイメージを作っていくかというと、書く際に履歴だけはちゃんとデータを作っておく。つまり、おるいさんのお父さんとお母さんはどんな人であったか、いくつで生まれて、いくつで母が死に、父が死んだか。一人娘であったとかね。その経歴だけはどんな小説でもきちんと拵《こしら》えて書き込んでいくんです。

　そうすると、ある程度人間の輪郭って出るのね。早く母親に死に別れれば、父親を助けて屋敷の切り盛りをやっていかなきゃならないから、その方面の知恵は年齢より大人びていくだろう。その反面、父親は娘を格別に可愛がっただろうから、甘えん坊の部分は残っただろう、とか。だけど親一人子一人なわけで、どっか心細い思いを持っているところに、その父親が死んじゃうわけで……。そういうことで人間の性格を私は作っていくの。

名取 ああ、たしかにそこから想像できる人間像がありますね。

平岩 じゃあ、おるいさんは弱い人かというと、宿屋をやろうと思いつくぐらいだからかなり芯は強いだろう。人を好きになったらとことんという感じで、そういう自分の意思というものはけっして弱くはないだろう、むしろ強すぎるくらいだろうな、とかね。すべてそれまでの人生の履歴から割り出していくんです。だから外見を書きそこねているんですね。

名取 でも、よかった（笑）。もしすごく色白で華奢《きゃしゃ》で、とか書いてあったら私にはできなかったから。

平岩 何をおっしゃいますか。

沢口 先生、じゃ東吾さんでいうと、どうなるんでしょう。

平岩 東吾さんの家はね、お母さんが早くに、東吾さんが三つくらいのときに死んでいるんですね。だからお母さんの顔を知らないんですよ。東吾さんのおるいさんに対する甘ったれぶりの中にはそれがあるのね。

沢口 なるほど、それで甘えん坊なんですか。

平岩　それで、母の顔が知りたかったら兄さんの顔を見ろ、そう父が言ったという台詞《せりふ》を東吾さんに言わせているんです。ということは、兄の通之進はお母さん似の美男子なんですよ。東吾さんはお父さん似だから、美男というよりはしっかりした顔してるんだろう、男っぽい顔してるんだろうなとか。そういう形はつくってるんですけどね。
　ほんと、嘉助も長助さんもお吉も、全部履歴は書いてあるんですよ。お吉はいってみれば出戻りで、いっぺん結婚して、子供を生まないでまたお嬢さんのもとに舞い戻ってきちゃった。つまりどんな家に生まれていくつでどうなったって、しつこいぐらいに書いてある。そこから割り出さないと台詞が出てこないんですよ。おるいもそう。
名取　おるいについて思うのは、たぶんああいう耐え忍ぶ一途な女というか、思いを貫く女性でありながら、しかも可愛らしさも失わないというのは、女性にとっても理想の姿なんでしょうね。しかも生活臭があまりないでしょう、おるいには。普通「何でなにもかも私がやらなきゃならないのよ！」みたいなことを普段の生活で感じている人が多いのに（笑）、『かわせみ』ではめんどう臭いことはお吉がすべて……。
平岩　やってくれる。
名取　お歳暮のことでも何でもお吉が仕切ってくれるわけですよねえ、先生。
平岩　でもお吉だとそそっかしいから、何やるかわかんないけど（笑）。
沢口　ハハハ。

周囲の人びとの無私の愛

平岩　たしかにおるいさんの生活は女として理想ですね。

名取　理想ですよ。女優って言っても、私生活では生ゴミでも何でも朝自分で出さなきゃならないんですよ（笑）。しかも、お吉にしても嘉助にしても、使用人たちが忠義なうえにおるいさんに対する愛情にあふれているんですもの。星田さん曰く、完全に主観でしかおるいを見ることができなくて（笑）、何があってもおるいの味方をするという……。

平岩　二人ともおるいさんのためなら死んでも平気でしょう、おそらく。

名取　お嬢さんの幸せを自分のこと以上に案じて、そのために捨て身になってる。いま親だってそんな気持ちを持ってないかもしれない。

平岩　そういう無私の愛情というのは、私も書いていて気持ちがいいですよ。身分制度のあった時代の、ある意味ではよさですよね。

名取　そういう世界に憧れる部分もあるのかもしれないですね。そのへんの楽しみというのが『かわせみ』にはあるんじゃないですか。

平岩　でも、現代人が江戸時代の女を演じるってどうですか。靖子ちゃんなんか違和感ない？

沢口　そうですね。同じ人間の心の動きだからと思って、あまり時代は意識せずにやっていますけれども。ただ、やはり時代劇というのは、ラブシーンひとつにしても夢があるなあというのは感じます。お着物というのは正座しているのが普通だから、ちょっと姿勢を崩すだけで色気が出てくるとか。

名取　体をすっと寄せたりするとかね。

沢口　ええ。東吾さんとふたりだけのシーンが毎回必ず出てくるんですが、そこでの台詞とかけっこう好きなんです。「私はいまのままでいいんです」なんていう奥床しい台詞が（笑）。

平岩　現実にはいやでしょう（笑）。

名取　いやよねえ（笑）。でもやっぱりあれがいいんでしょうね、男の人にとっては。

平岩　そりゃ男の人にはこたえられないでしょうよ、おるいさんみたいな女の人は。

名取　女性だって、ああいうふうになれれば気持ちいいかもしれませんよ。

沢口　それはもう相手の男性次第じゃないでしょうか（笑）。

名取　でも先生、やっぱり経済的に自立していたことが大きいですね、おるいさんが一途な愛を貫くことができたのは。

平岩　自立してなかったら待てませんよ。それにあの時代、与力の次男坊と同心の娘は結婚できません。たとえば、おるいさんがいったんどこぞの与力の養女になるという形を取れば別ですが。

沢口 もしお父さんが生きていれば、東吾さんが養子に入って、それで結ばれるという可能性はあったんですか。

平岩 それはできないことはない。ただ東吾さんがかなりの勇気を持たないとね。彼にすれば同じ与力のところに行けるわけで、もっと言えば旗本の家にも入れないわけじゃない。だから、惚れちゃったから、どうしてもそこに養子に行きたいと言い張って、で、兄がいいと言えば、次男坊の気楽さで行くことはできます。

沢口 その身分の格差って、いまの時代でたとえるとどういう感じですか。

平岩 いまはもう比較のしようがありません。

名取 たしかに、家柄の違いとか身分の違いなんて完全に死語になってますものね。そういう意味では許されない恋はないですよね。不倫だってもう枷《かせ》にはならなくなってますもの。

平岩 私ね、枷がある時代って人間の愛を語るときにはいいと思うの。現実には困るわけだけれど、やっぱり枷があったほうが、人間が清々《すがすが》しく見えてくるのね。

いまは人間の凄さを示す場面がない

名取 耐え忍んだり、我慢したり、諦めたりというのが、いまは現実的じゃなくなりましたものね。不倫で思いが叶《かな》わないとなったら、相手の奥さんを殺したり、家に火を付けちゃったり。思い通りにならないと気が済まない。自分が気持ちいいことが一番という風潮があるから。

平岩　自分を律していくということがないんです。だから人間がある意味では非常に怠惰になっていて、人間の凄さみたいなものを見せる場面がないのね。男が男らしく女にいい格好を見せようとしても、そういう場面に出会わない。せいぜいがお金をたくさん稼いでくるぐらいですものね。

名取　男らしさとか女らしさなんてことがほんとにない時代ですね。

沢口　江戸のころは女にしかできないこと、男にしかできないことがあったんですね。

平岩　そう。いまの人が江戸時代に郷愁を感じるというのは、たぶんそのへんに理由があるんでしょう。

名取　風流という点でもいまの世の中と違いますものね。いまのように暑くても寒くてもエアコンひとつというわけにはいかないから、涼しくみせるために簾《すだれ》を使ってみたり、それぞれ工夫がありますもの。

沢口　風鈴をぶら下げたり。

名取　私はまだかろうじて覚えていますよ、そういう世界を。布団とか着物とか、母が洗い張りして板に張っていたり、おばあちゃんが筍《たけのこ》の皮で梅干しを包んでいたりとか。質素倹約が美徳であった時代を知っていますから。

平岩　でもほんのちょっとでしょう。

名取 いえ、そうでもないんです。見栄張って少しなんて言いましたが（笑）、母の背中で、火吹き竹でお風呂を沸かすのを見てますから。

平岩 私はまさにその世界で育っていますので（笑）。靖子ちゃんは知らないでしょう、火吹き竹なんて。

沢口 知りません……。

平岩 いやあ、ほんとにね。だから舞台稽古のときに、棕櫚《しゅろ》ぼうきを座敷ぼうきに使っているんだもの。わたし、でんぐりがえっちゃった（笑）。

名取 だから、先生は最初から舞台稽古にいらしてくださらないとだめ（笑）。先生、ほら、稽古の最後のころにいらしてお掃除のシーンに立ち会われたことがございましたでしょう。そのとき先生が「これは朝のお掃除なの？　午後のお掃除なの？」っておっしゃった。「えっ、違うの」って、みんな一瞬呆然としてしまって……。

平岩 だって江戸の土埃ってすごいんですよ。江戸は目病み女が多いので有名だったんですから。女は赤い布で目を拭いたりしていて、それがまたとても色っぽかった。だから朝まず廊下に雑巾をかけて、午後になるともう一回拭かなくちゃいけなかったんです。私が子供のころもそうでしたよ。うちはお宮でしょう、風の強い日は境内の土埃がすごくて、夕方になるともう一度掃除をして水を撒くの。それをやらされて、しんどくてね。それを覚えているから、いまのうちに大きな声で言わないとどんどんわからなくなると思って、こないだうちから口うるさく言っているんですが。

名取　なるほどなあと思いました。最初は先生に怒鳴られてどうしようと思いましたけれど（笑）。でも、先生がいらっしゃると、それまで十日かかってもきまらなかったものが、わずか十分でぴしっと締まるようになるんですもの。

平岩　芝居を長く書いてきたし、いまでもけっこう好きなんです。それと亀の甲より年の功というやつかな。私が若いころには明治生まれの人にがんがん言われたんですよ。何書いてんだ、何やってんだって。それでやっと気がつく。たとえば提灯ひとつにしても、歩いているときに足下を照らさないと歩けませんからね。真っ暗なわけだから。だから提灯の位置っていうのは、いかに地べたに近づけるかなんです。それを目の前にぶら下げたんじゃ「御用、御用」になっちゃう（笑）。

名取　ハハハ。

平岩　人とすれ違っても、顔なんてわからないくらい暗いんですよ。そういうのって、どんどんわからなくなっちゃうんでしょうね。私の世代はまだ暗さを知ってますからね。

暗さで思い出すのは、いまテレビの時代物は意識的に画面を暗く暗くしているんだけれども、じゃあどこが一番明るいのかってことを意識してないみたいなの。明かりのついている周辺は明るいのよね。ほんとに暗いからこそ、逆にいうと、ほんの小さな明かりでもふあーっと明るく感じる。ろうそく一本の明かりで女の人の顔でも浮かびあがってきれいに出るわけでしょう。何でそれをやらないのって、いつも私なんか言うんだけれど、それをへんにリアルにしてしまうから、べたに暗い時代劇が出てきちゃう。

沢口　名取さんのおっしゃるように、先生に稽古にいらしていただけるといいと思いますねえ。
平岩　靖子ちゃんはどう、時代物の芝居に少しは慣れました？
沢口　そうですね。一昨年（平成八年）ＮＨＫの大河ドラマ『秀吉』を一年やりまして、去年舞台を四カ月やって、この『かわせみ』を五カ月やりましたから、着物はかなり鍛えられました（笑）。
平岩　でも、現代物と時代物の両方をやっているわけでしょう。
沢口　去年は現代物はなかったんです。でも舞台を二カ月やった後でコマーシャルの撮影があったんですけれど、カメラマンに、なんか笑い方が時代劇風だなあと言われてしまって（笑）。
名取　振り向く仕種とか（笑）。
沢口　コマーシャルはいつも同じ方に撮ってもらっているので、最後のほうで、ようやくいつもの雰囲気が出てきたって（笑）。自然と時代物の感覚になっているものなんですね。
平岩　たしかに振り向くのにしても、鬘《かつら》をのせているのといないのとでは、違いますものね。体がちゃんと時代物の動きになるのね。
名取　着物のせいもあるでしょうね。あれって不思議ですね、着物を着ると大股では歩けないし……。

沢口　そうそう。

名取　ちゃんと背筋を伸ばしていないと苦しいんですよ、胸のあたりが。自然と姿勢がよくなってきますね。

情愛溢れる演じ方

平岩　でもほんと、二人とも素敵なおるいさんで私は助かってます。靖子ちゃんはまだまだ撮るんでしょう。

沢口　はい。前の撮影から二カ月半ほど空いて、いま今年の放送分を撮っているところです。

名取　今度は冬の話？

沢口　そうですね。だいたいオンタイムの話で進めています。

平岩　でも、少し時間が空いたから、気持ちも新たに取り組めるんじゃないの。

沢口　気分も少し楽ですし。前半のときよりも、るいの心のひだとか気持ちの微妙な部分を、もっと出していきたいと思っているんですが……。その回その回に起こる事件や人間模様について、るいの受ける感情を細かく細かく演じていきたいなと。

名取　先生から何かアドバイスをいただいたら。

沢口　是非お願いします。

平岩　別に年をとったわけじゃないから、後半で変えなきゃいけない部分というのもないけれど……。

沢口　一応、後半は源三郎さんの結婚あたりまで話をすすめることになっているんですが。

平岩　ああ、そこらあたりまでいくの。おやおや、千絵さんが出てくるんだ。

沢口　でも、るいと東吾さんは、まだまだ結婚させないみたいです（笑）。

平岩　もし寒い季節を撮るんだとしたら、寒いということを意識した芝居をしたほうがいいでしょうね。

沢口　暖房も火鉢ぐらいしかないわけですよね。

平岩　火鉢か炬燵でしょう。どうしたって部屋の空気というのはかなりひんやりしているわけですからね。ただでさえ江戸の冬というのは寒いんです。

名取　いまとくらべてもずっと寒いわけでしょう。

平岩　ですから、そういう季節には障子の開けっ放しというのをとても嫌ったんです。「間抜けの三寸馬鹿の開けっ放し」ってね。必ず障子は閉めること。今度の『かわせみ』でもあったけれど、病人が寝ているところに東吾さんが入ってきて、障子を開けっ放しにして閉めない。

沢口　ああ、なるほど。

平岩　テレビカメラの位置の問題があるんだろうと思いますけれど、やっぱり閉めなきゃ。カメラの位置を変えても閉めるべきですよ。だって、寒い季節に病人が寝ているんですもの。それに、やっぱり外から帰ってきたら体が冷えているわけで、これは芝居の中に組み込んでおいたほうがいいと思います。

沢口　どうするんですか。

平岩　指先が冷たいでしょう、外から帰ってくると。その指の動きで季節感を出すことができるんですよ。それに指の冷たい女の動きっていうのは色っぽいの。

　これは歌舞伎の形の中にあるんだけど、よく冬の男女の道行なんかの場面で、男が女の手をとって、温めてやったりしますね。そこに情感が強くにじみ出てくるんです。だから逆に、女が外から帰ってきた男の手をそっととって、あっためる、そういう芝居を入れると、冬って感覚が出てきますね。

沢口　いいですねえ。

平岩　そんなに重ね着もできないし、肩も寒いわけですよね。東吾さんが外から帰ってきて何かを着せかけるときに、自分の体温で着せるような気持ちを持つといいと思います。たとえば羽織を着せるとしますでしょう、そのときにただ着せるのではなくて、体を寄せて、自分の体温が伝わるように着せる。そうすると、形もきれいだし、ぐっと情感も出て冬の芝居になるんです。夏にこれをやると、べたべたしちゃうんですがね（笑）。東吾役の村上さんはあまり世話物の芝居はしたことない人だから、逆におるいさんが寒さというものを感じさせる。そういうところが大切なんじゃないでしょうか、お芝居では。

「かわせみ」ひとくちコラム

「御宿かわせみ」映像化・舞台化の歴史

「御宿かわせみ」はこれまでに四度、テレビドラマ化されている。

昭和五十五年から翌五十六年にかけてと、昭和五十七年から五十八年にかけて、NHKで全四十七回にわたって放映されたのが最初で、この時のキャストは、るい役が真野響子で東吾役が小野寺昭、山口崇が畝源三郎を演じ、通之進役は田村高廣だった。

二度目のドラマ化はテレビ朝日で、昭和六十三年と平成元年に単発で二回、放映された。

この時は古手川祐子がるいを演じ、東吾役は橋爪淳。源三郎は三浦浩一、通之進は根津甚八が演じた。

三回目も同じくテレビ朝日で、「新・御宿かわせみ」というタイトルで平成九年に十九回放映された。るいと東吾は沢口靖子と村上弘明が演じ、源三郎役が平田満、通之進が津川雅彦だった。

そして、四度目は、平成十五年四月からのNHK金曜時代劇全八回で、るいは高島礼子、東吾は中村橋之助が演じている。

お吉の役ははじめの二回が結城美栄子、「新・御宿かわせみ」では藤田弓子、金曜時代劇では鷲尾真知子が演じ、嘉助役にはそれぞれ花沢徳衛、植木等、笹野高史、小野武彦と個性派を揃えている。

初めて舞台化されたのは昭和五十九年の東京・帝国劇場の新春特別公演だった。るいは浜木綿子、東吾は田村亮が演じた。その後も新珠三千代・田村亮や名取裕子・中村信二郎などの配役で、たびたび舞台化されている。

「御宿かわせみ」の魅力を語りつくす

「かわせみ」は各界の目利きにどのように読まれているのか？歴史学者、弁護士、国文学者、文芸評論家、女性時代作家によるエッセイ競作と、「かわせみ」に登場する食べ物にスポットを当てたグルメ対談で、「御宿かわせみ」の魅力を徹底分析

歴史家のみた「御宿かわせみ」――山内昌之

（歴史学者・東京大学教授）

「御宿かわせみ」とイスラーム史とに共通点がある？世界史の権威による、愛情溢れるエッセイ

「オール讀物」で断続的に楽しんでいた「かわせみ」のシリーズをまとめて読んだのは、一九九二年春から一年間、ハーバード大学に滞在したときのことであった。先に日本に帰国した知人の経済学者が五、六冊送ってくれたのを機に、日本から文庫本と単行本とりまぜて、ほとんど全作品を取り寄せたのである。このささやかな「コレクション」は、いまでもハーバードの日本人共同体のどこかで回し読みされていることだろう。

ところで、私もイスラームの史料を読む眼をふと休めて「かわせみ」の世界に浸ると、日本と外国との思わぬ並行現象を発見して、つい嬉しくなる。「阿蘭陀正月」（『清姫おりょう』収録）のなかで、医師の麻生宗太郎に陰暦と陽暦との違いを語らせる場面には思わず我が意を得たりの気分になった。「そもそも大昔の人が暦を一番、必要としたのは農作のため、お百姓がいつ田をひっくり返し、いつ、田に水を張り、苗を植えるといい具合に育って、秋の稲刈りが出来るという一年の目安を知らなけりゃならないわけです」。ところが、月の満ち欠けは寒暖とは無関係であり、陰暦を使っていると年によっ

ては三月になっても田んぼに出られないのだ。宗太郎は、あっけにとられているお吉を前に、「お百姓の目安にはならない」と陰暦をこきおろす。

ここで私は思わずコプト暦を思い出した。イスラーム暦も陰暦なので、季節感と月との間にズレが生じる。そこで、エジプトの農民などは、日常的にはコプト暦という陽暦をたよりにしたのだ。ローマのディオクレティアヌス帝即位の二八四年を紀元とするコプト暦は、農事暦として有名な古代以来の太陽暦を受け継いでいた。もし宗太郎がコプト暦を知っていたなら、「農作のために必要な寒さ暑さの移り変り」を百姓に教えるコプト暦の知恵を披露して、「冗談じゃありませんよ。師走にもならない中《うち》にお正月になっちまうなんて……」とお吉の口をふくらまさせたにちがいない。

平岩さんは、暦の作成にあたる天文方を「浅草天文台の怪」(『恋文心中』収録)でも登場させている。そこで天上に白く輝く天の川を仰ぐ東吾は、くしゃみをしながら、こうつぶやく。「天体観測って奴は、滅法、寒い商売だな」。農事、暦、天体など、平岩さんの作品に登場する季節感は、歴史を知る上でいちばん大事な感覚でもある。「かわせみ」からその綾を見つけるのも、歴史を勉強している人間には嬉しいことなのだ。

他方、世相などで屈託があるときにも、平岩さんの「かわせみ」の世界に浸って登場人物の人情や明るさに触れるに限る。るいや神林東吾の人情は、人間には助け合いが肝心だという哲学をさりげなく実践している点に本領がある。「師走の客」(『御宿かわせみ・上』収録)で焼け出された旅館「藤村」への助力を見ていると、われわれにも学ぶべき点が多い。るいは、お吉や女中と一緒に炊き出しにかかり、沢山のおむすびに煮物や沢庵まで添えて火事見舞に駆け付ける。

炊き出しの握り飯が時宜《じぎ》をえた見舞であり、どんなに「藤村」の主人たちが喜んだことかはいまさら触れるまでもない。焼け出された客をすぐ「かわせみ」に移して風呂なども使わせる。手筈がテキパキしているのだ。私にも経験があるが、こんなときに、ただ大変ですね、何か出来ることはありませんか、と一般的に尋ねても仕方がない。熱い味噌汁やおむすびをもって、すぐに激励にいくのがいちばんよいのだ。こうした間《ま》をとって初めて、放心状態にある被災者が我を取り戻し、不運に負けてはならじと思うのである。

旅館同士というプロの世界の人情ばかりではない。市井の町人たちアマの世界で繰り広げられる人情も「かわせみ」の風物詩である。この点で印象的なのは、「江戸は雪」(『御宿かわせみ・上』収録)の佐吉であろう。結納まで入った娘の縁談を断りにきた親の苦境を見かねて、前科者の佐吉が博奕《ばくち》でとった五十両の大金を差し出す話である。博奕で稼いだ金をもっていっても、母親が安心するはずもないと自分に言い聞かせる。働いて「汗のこもった金」を少しでも送りたいというのだ。ここを描写する平岩さんの文章も「かわせみ」全体に通じる明るさのモチーフにつながっている。

「この男の眼から鋭いものが消えていた。どこかに影をしょったような感じが、ぬぐったようになっている」

明るさといえば、著者は、東吾の口を借りて、「芸者の陰気なのは売れないなあ」と言わせているが(「伝通院の僧」・『春の高瀬舟』収録)、これは「あの妓は、陰気なのが玉に疵だときいて居ります」という岡っ引長助の人物評を受けてのことだ。芸者に限らず「かわせみ」の人物たちは、宿のお吉や嘉助なども明るさがあくまでも身上なのである。

だから、人の顔にどこか翳《かげ》が差していると、東吾やるいは本能的に違和感をもってしまう。それが下手人探索の糸口にもなる。たとえば、幸せを出世という尺度でしか計ることを知らなかった娘お六の悲劇は、「藤屋の火事」(『白萩屋敷の月』収録)でも語られている。るいは低い声で語る。

「あの人、いつも飢えているみたいでしたのね。高いところをみつめて、自分がそこへ届かないといっては腹を立てたり、悲しんだりしている。もっと手近かに幸せがころがっていたかも知れないのに……」

人に運不運はつきものだが、不運に負ける人間も世には尽きない。暗さと転落という点では、「二軒茶屋の女」(『春の高瀬舟』収録)も忘れがたい物語だ。阿漕《あこぎ》な骨董屋の手にかかって没落した旧家の大店《おおだな》に育ったおようの復讐劇。平岩さんの思いは、われわれの感想でもある。「大事に育てられた幸せな伊勢屋の娘が、人を信じないといい切るまでの歳月はあまりに短い」と。

最近の世相に照らしてギクリとさせられるのは、「松風の唄」(『秘曲』収録)であろう。これは、人生の翳りへのやりきれなさを描いた作品であり、異色の内容になっている。ある大身旗本の屋敷に奉公に出た御家人の娘糸路は、生まれつき常軌を逸したところがある旗本の跡取り常太郎に殺される。

「子供の時はわからなかったようですが、十五、六からそのきざしがみえて来て、突然、飼犬を殺したり、近所の猫をつかまえて来ては、竹刀《しない》の糸で首を締めて吊しておいたりと異常な振舞をするようになったそうです」

癇《かん》が強く、自分の気に入らないことがあると荒れ狂う。薬を飲んでいても発作を起こしてしまう。微禄の御家人の娘を手ごめにしようとして抵抗されたので、思わず殺してしまった。しかし、事件当日の常太郎は「心神喪失の状態」だったとして、座敷牢入りで内済に終わらせてしまう。話は、鉄砲の名人でもある糸路の父が復讐を果たそうとするが、常太郎が恐怖のあまり海に飛び込んで沖合いで沈み、背負っていた常太郎の娘も波に消えてしまう結末で終わる。平岩さんが、悪と犯罪にさりげなく貸借勘定をつけていることに注意しよう。

少年や心神喪失状態だからといって、加害者の方の〈人権〉ばかり取り沙汰される現代の風潮に腹立たしい読者には、していいことと悪いことにきちんとけじめをつけた先人たちの素朴な知恵が懐かしくなるだろう。現代人は、被害者とその家族の無念さを理解できず、殺された少年の失われた〈人権〉に共感を失いがちではなかろうか。「松風の唄」は、現代の世相を改めて反省するよすがにもなるだろう。

平岩さんは、さりげなく〈しつけ〉ということも問題にしている。「雪女郎」（『恋文心中』収録）のなかに、医師麻生宗太郎を訪ねた東吾が宗太郎の妻七重とその赤ん坊の前で、押上村や小梅村に出没する雪女郎の身元を詮索するくだりがある。たまりかねた七重が、やめてください、と遮った。

「赤ちゃんの前で、なんてお話をなさいますの。女の子は小さい時から美しいものを見せ、美しい話をきかせて育てなければ、心の美しい子に育たないとおっしゃったくせに、お女郎だの、人殺しだの」

あわてふためいて立ち上がる宗太郎がどうにもユーモラスでおかしい。東吾も七重に一本とられた風情である。話の内容や性格によっては、女房子供に聞かせられないものがある。これは、私の子供時分でも親たちがもっていた単純な信念であり、大人と子供には越えられない敷居があった。これが〈けじめ〉であり、それを教えるのが〈しつけ〉というものであった。日本の家庭の多くから〈しつけ〉の美徳が消え去ろうとしている現在、温和な七重が東吾や宗太郎をたしなめる厳しさにふとノスタルジアを感じたのは、私だけであろうか。

そういえば、この宗太郎は奥医師の名家の息子なのに、初登場からそこはかとないユーモアを発散させる男であった。「かわせみ」の愛読者なら、寒井千種こと天野宗太郎が初めて現れた「美男の医者」（『白萩屋敷の月』収録）の珍談を憶えておいでだろう。東吾が宗太郎と相談して、分散（計画倒産）した四条屋から、材料代ももとっていない善良な職人のために十両とりたてる話である。因業な四条屋のおかみと娘に一寸した〈いたずら〉を仕掛けるのが宗太郎なのだ。娘に下剤を飲ませて下痢をとまらなくしたり、おかみには胃の腑に瘍《よう》ができているといってまもなく死ぬと脅かしたりもする。何度も雪隠《せっちん》にかけこむ妙齢の娘の具合悪げな顔面を見て、毒草を食べたからだとすまして見立てる面白味が何ともいえない。

そして、薬代と称してまきあげた十両を律儀な職人に渡す。その途中で、分散して隠匿した財貨の在処《ありか》を見つけて弁済させるというのが筋である。この話の落ちは、千種などもっともらしい偽名を使った宗太郎、やがては将軍家の御典医にもなろうかという男に、東吾がまかり間違えば詐欺ともいわれかねない片棒をかつがせた未必の大胆さにあるのだろう。

「かわせみ」の物語に重厚な落ち着きを与えるのは、東吾の兄通之進と妻香苗の存在である。南町奉行所の吟味方与力の重職にある通之進は、気配りの人間であり、若いに似ず苦労人として定評がある。八丁堀同心の一人息子が色里に通いつめるのを心配して、同業の自分でなく少し距離がある東吾に様子をさぐってくれないかと頼む話は、「花の雨」(『春の高瀬舟』収録)である。これは、通之進の人柄を偲ばせる逸話にもなっている。また、るいが女の子を生んだときにも、喜びの表情にいささかの翳《かげり》もない通之進の心中を弟はこう忖度《そんたく》する。武士の家では男児の出生を願うものであり、神林家はとくに跡取りがいないので弟嫁が男子を生んでくれたらと願っていたのでは、と。しかし、落胆した様子の見えない兄の度量に改めて感服する東吾なのであった。これは、「立春大吉」(『源太郎の初恋』収録)の物語である。

そして、生真面目な通之進がすこやかに育つ姪を不器用にあやす風情もほほえましい。「日暮里の殺人」(『春の高瀬舟』収録)の通之進の姿を見ていると、公私ともどもバランス感覚の持主だということに、改めて驚かされる。それでいながら、通之進は詩文や自然を解さぬ木石だというわけではない。若い時分にはひそかに思慕を寄せた女人もいた。人妻となる女性への思いを断ちきりながら、少年の日の思い出として淡い慕情を終生もちつづける通之進の姿は、「白萩屋敷の月」(『白萩屋敷の月』収録)に鮮やかに描かれている。文学的な完成度と詩的想像力でいうなら、この作品こそ「かわせみ」シリーズの代表作ということになろうか。白萩、吾亦紅《われもこう》、松虫草など美しい花と絶世の美女との取り合わせ、謹厳な兄の秘められた過去。平岩さんが通之進を描く文章はいつにもまして丹念な様子である。あるいは、平岩さんは通之進のなかに自らの理想の男性像を彫琢しようとしたのでもあろうか……。それにしても、恋の余韻と思いを遂げられぬ胸のときめきなどは、平成の日本人には遠くなった慎みなのだろう。

幕末の弁護士的正義

「御宿かわせみ」は「かわせみ法律事務所」である？
現役の弁護士による、ユニークな「かわせみ」論

加茂隆康（弁護士）

「御宿かわせみ」の魅力は、幕末の弁護士的正義が、江戸情緒たっぷりの風物のなかに、「粋」と呼んでもいいほどの見事さで、表現されていることだ。

「御宿かわせみ」の「若先生」こと神林東吾は、駿河台の講武所で旗本や御家人の子弟に剣道を教え、築地の軍艦操練所にも通勤する一方、御宿「かわせみ」の女主人るいの夫（「祝言」をあげるまでは内縁の夫）として、「かわせみ」の用心棒を自任している。つまり、お上に仕える公務員の身でありながら、民間の宿屋の女将の亭主として、泊まり客の相談にのったり、親友である八丁堀の同心畝源三郎の話をきいてやって、事件解決にのりだす。

東吾は、いまでいえば、裁判官や検査官ではなく弁護士により近いと私は思う。「御宿かわせみ」は、実は「かわせみ法律事務所」であり、そこの所長兼弁護士が東吾だという気がする。わずかな物証や人証（目撃証人の証言）などを手がかりに、明晰な推理で真犯人をさぐりだす。ときには、「他人の恋路のとり持ち」もする（「煙草屋小

町」・『八丁堀の湯屋』収録)。刑事事件も扱えば、民事事件も扱う。

現代の弁護士は、逮捕された容疑者の弁護をするのが主な仕事で、警察官と組んで犯人逮捕に赴くわけではない。だから、捕物をする東吾がなぜ弁護士なのかといぶかる向きもあるかも知れない。実は「社会正義の実現」(弁護士法第一条)ということが弁護士の使命であり、そのために、犯罪の容疑者を告訴・告発するというのも弁護士の重要な仕事である。そういう点からすると、東吾の行動は弁護士法の精神にすこぶる近い。

東吾をサポートする八丁堀同心の畝源三郎や岡っ引の長助は、明らかに「警察官」だが、彼らも東吾と組んで捕物をする場合、百パーセント東吾の味方になって弁護士的正義を発揮する。犯人はいつも捕えてきびしく詮議するというのではなく、ときと場合によっては、犯人とわかっていても、人情にほだされて見逃すといった具合に(「矢大臣殺し」・『雨月』収録、など)。東吾を助ける源三郎や長助は、お上に奉仕する「警察官」というよりも、「弁護士」である東吾に奉仕する「かわせみ」提携の「調査機関」の調査員といった感じがしてくるのである。こうして、東吾の周囲には、弁護士的正義を実現する布陣がかたまっている。

一方、東吾の兄の神林通之進は、南町奉行所の吟味方与力であり、純粋な警察官僚である。弁護士的正義をになう東吾は、るいと祝言をあげるまでは、この警察官僚の家に居候をし、結婚後も兄とはいえ警察官僚の家に出入りしている。ときには兄が東吾の捜査に協力し、東吾も兄に情報を提供したりする。ともに法的秩序の維持をめざす立場にあるのだから、協力したっておかしくないといってしまえばそれまでだが、現代の感覚からすれば、対立しかねない東吾と通之進の各々の法的世界が、混沌の中に、交錯しあいながらも均衡が保たれている。弁護士と警察官僚のスマートな協力。これが、「御宿かわせみ」の構図に独特の味わいを与えている。

「御宿かわせみ」の時代背景は、江戸末期の一八五〇年から六〇年ごろである。そのころの日本の法律は、まったく未整理の状態にあった。維新を迎えて、明治政府は列強の要求をうけいれ、法典編纂《へんさん》を急いだ。西洋法を継受して、日本に、刑法、民法、商法などの法典が整備されたのは十九世紀末である。フランスの法学者ボアソナードが起草した民法草案について、日本の憲法学者穂積八束《ほづみやつか》が、「民法出デテ忠孝亡ブ」と嘆いたことは有名である。

「御宿かわせみ」の世界は、穂積が心配した「忠孝」が人々の心にしっかりと根をはっていた時代である。

江戸時代に比べると、現代の方がありとあらゆる法律で規制がされているから、法の網をかいくぐって悪事を働くことができにくい。それだけ治安が保たれるとはいえるが、人情の介在する余地が少なく、窮屈になった。

「美男の医者」という話がある。これは、四条屋という呉服屋がつぶれ、その下請けの兄妹が営む染屋が連鎖倒産をした話である。染屋が四条屋に対しもっている債権は十両。それがすべて焦げついた。四条屋に計画倒産の疑いがでてきたことから、東吾は、そのとき「かわせみ」に泊まっていた医師天野宗太郎と組んで、染屋のために債権回収に動きだす。

二人は、四条屋の女将と娘にたくみに近づき、食べ物に一服盛って、女将が「悪性の瘍《よう》」(癌)で半年の命しかないと思いこませる。必死で命乞いをする母と娘に、宗太郎はただの漢方薬を「阿蘭陀《オランダ》渡りの秘薬」と称して、十両で売りつける。こうして東吾と宗太郎は不良債権の回収に成功する一方、四条屋は、寺に隠しておいた千五百両もの現金とおびただしい反物が発見され、逮捕される。

この話は、私にとって痛快このうえない。私も不良債権の回収を頼まれることがよくあるが、こんなにうまくいったためしがない。債務者が破産をした場合には、「債権者平等の原則」というのが貫かれ、ある一人の債権者だけが、債務者から抜けがけ的に債権の回収をはかることは許されないからである。

東吾と宗太郎がしたことは、ただの漢方薬を「秘薬」と称して十両もの高値で売りつけたのだから、まぎれもなく悪徳商法であり、詐欺である。どうせ詐欺を働くなら、十両で売るのではなく、自分たちのコストを見込んで十三両ぐらいで売りつけてもよかろうに、そうはしない。これでは、東吾たちの経費はでない。足代などはもちだしである。そこのところが実にひとがよく、憎めないのである。計画倒産を企んだ悪の商人から、こんな風に不良債権を見事に回収してくれると、回収の手段が違法かどうかなど吹きとんでしまい、大いに拍手を送りたくなる。弁護士的正義がいかんなく発揮される事件である。

住専問題もこのように債権回収がはかれれば言うことはないのに、とさえ思う。

「秋色佃島」(『幽霊殺し』収録)は、レイプを素材にしている。三春屋というお菓子屋の娘が近所のどら息子に手ごめにされ、思いつめた末に首をくくって死んだ。犯人の男は金持ちの息子なので、被害が続出しても、いつも金で内々におさめてしまう。こんな男を「野放しにしておくことはできないと判断した奉行所の役人」は、事件を公表して犯人を処罰した。

その取調べにあたったのが、るいの亡父である。亡父は「被害者の名を最後まで伏せた」が、いつしか世間に知られるところとなった。娘と夫婦になる約束を交していた三春屋の元手代は、事件を表沙汰にしたるいの亡父を逆恨みし、るいを誘拐して、手ごめにすることで復讐をとげようと謀《はか》る。

この話は、レイプについていろいろなことを考えさせる。お上が犯人を処罰するのは、もちろん正義にかなったことだが、ただ、被害者の名誉にかかわる問題だけに、裁く際にも慎重を要する。その点、るいの亡父は「被害者の名を最後まで伏せた」というのだから、何とデリカシーのあるお役人かと思う。

現代では、残念ながらこんな配慮はしない。レイプ裁判では、起訴状に被害者の名前や年齢まで記され、場合によっては、被害者が法廷で尋問をうけることすらある。「セカンドレイプ」という言葉があるように、被害者は、被害を申告したばっかりに、捜査官や裁判の傍聴人から好奇の目で見られ、いわば「視姦」されるような屈辱を味わう。被害者の人権を守るには、「セカンドレイプ」をくいとめねばならない。そのためには、レイプ裁判は非公開にするとか、起訴状の被害者名は朗読しないといった措置が考えられてもよい。

それにしても、小説の中で東吾がいっているように、レイプの事後手続では、「女は強く」ある必要があると私も思う。小説の見事さだけでなく、作者のこの見識の高さには、感服せざるをえない。

このほか、「川越から来た女」(『一両二分の女』収録)では、人の命を尊いと考える医者と軽いと考える医者の話がでてきて、エイズ薬害事件で逮捕された医者を思い起こさせる。

また、「蜘蛛の糸」(『閻魔まいり』収録)では労働問題を、「白藤検校の娘」(『一両二分の女』収録)では金貸し業の悲哀を、「藍染川」(『一両二分の女』収録)では実子さがしにおける親のエゴを扱っている。

土地の権利証の略奪をテーマにした「橋づくし」(『閻魔まいり』収録)は、夜更けの深川を行く二艘の小舟の提灯が川波にたゆたい、それが迫りくるサスペンスと相俟《ま》って、水辺の江戸情緒あふれる美しい作品になっている。かんざしで権利証を橋板にとめるという設定も、実に粋である。

「御宿かわせみ」は、現代の法律問題にも通じる話題が少なくない。しかも、そこには、現代人が置き去りにしてきた人情による紛争解決の方途が示されている。

ひごろ、訴訟事件の解決に苦慮している私は、「御宿かわせみ」を読むと、ある感慨にひたってしまう。それは、古き佳き江戸への郷愁である。

翡翠《かわせみ》の羽は時空を超える

「御宿かわせみ」は「源氏物語」の子孫？
「かわせみ」と古典文学との接点を探る、出色の小論

――島内景二
（国文学者・電気通信大学教授）

「初春の客」の仕掛け

『御宿かわせみ』は二百二十話を超えて、今なお書き継がれている。凝縮力のある一話完結の短編を無数に集合させることで、一つの巨大な長編小説を作り上げた平岩弓枝は、「平成の物語作者」と呼ぶのがふさわしい。百二十五の短い章段を積み重ねて在原業平の一代記を完成させた『伊勢物語』の作者や、五十四帖の短編をつなぎあわせて大長編『源氏物語』を完成させた紫式部の試みと、通うものがある。そこに、「ストーリー・テラー」としての平岩弓枝の神髄を見る。このようにして完成した「長編」は本来は短編であったので、「前後での年代の矛盾」や「人物造型の食い違い」がしばしば起こる。これは、王朝物語でも同様である。『御宿かわせみ』は、「構想」が変化しつつ次第に一つの像を結実させてゆく「長編物語」の醍醐味を、現代に伝えるものである。

さて、『御宿かわせみ』シリーズは、「初春の客」（『御宿かわせみ（上）』収録）から始まった。この記念すべき第一作は、長崎から江戸に連れて来られた黒人奴隷が日蘭混血

の遊女に寄せた純愛の挫折を悲劇的に語っている。頃は、幕末。舞台は、大川端。クライマックスは、政商に幽閉されていた黒人青年が愛する遊女を背負って無謀にも真冬の江戸の海に突進し、泳いで遥かなる生まれ故郷へ逃亡しようとする場面。すぐに二人は、冷たい江戸の海に沈んでいった。哀しくも美しい、現代人に懐かしささえ感じさせるストーリーである。

男が愛する女性を悪人（権力者）から救出し、二人を受け入れてくれる愛の理想郷を求めて逃亡する。そのために、男は女を背負って川を渡り、山を越え、海を渡る。いかにも日本人の好む愛の逃避行（道行）であるが、これを文学様式として確立したのが『伊勢物語』六段であることを忘れてはならない。在原業平は、清和天皇の后である二条の后（藤原高子《たかいこ》）を宮中から略奪し、背中におぶって逃亡する。俵屋宗達によっても絵画化され、日本人の恋愛観の根幹の一つを形成している名場面である。『伊勢物語』六段では、芥川のほとりで、后が鬼のような人間に取り戻され、純愛はもろくも挫折する。「初春の客」では、鬼のような悪徳商人と腐敗した幕閣の前に、純粋な愛で固く結ばれた黒人青年と遊女は海で命を落とす。『伊勢物語』の芥川と、「初春の客」の江戸の海は、時空を超えて「愛の様式」を一致させ、「普遍的な情感」を読者に抱かせる。それは、「詩の領域」とも近い「もののあはれ」の感情である。

平岩弓枝は代々木八幡の宮司の娘として生まれ、日本女子大学国文学科を卒業し、古典文学や芸能に通暁している。『源氏物語』や『伊勢物語』などの物語のエッセンスを血肉化して、彼女の『御宿かわせみ』シリーズが誕生した。平岩の描く「江戸」は、長い時間にわたって、人々の思い入れを吸収してきた歌枕のようだ。そこにはさまざまの古典物語が下敷きとなっている。大川端は大川端でありながら、芥川でもあり、世界中のすべての地域で挫折しそうな愛に苦悶している男女の目に映る美しい山河でもある。この特殊性と普遍性の同居こそが、『御宿かわせみ』の堪《こた》えられない魅力である。

「白萩屋敷の月」のヒロイン像

神林東吾の兄・通之進の初恋の女性を語る「白萩屋敷の月」は、一九九九年一月の『オール讀物』の読者アンケートで人気ナンバーワンに輝いた。この薄幸のヒロイン像は、どこから作者の心に宿ったのか。そして、なぜ多数の読者が感涙にむせんだのか。

通之進と相思相愛だった「お香」は、年老いた旗本の後妻となったが、通之進への純愛を心に秘めつづけている。その思いは、夫の死後出家して「香月尼」となった現在も変わらない。香月尼は「小柴垣《こしばがき》」で囲まれた庵室の周囲に、一面の白萩を植え、室内には秋草を活けていた。そして、「七歳」年下の通之進の面影を追いつづける。言わば「秋好む尼」なのだ。

この香月尼の「愛の執念」は、例えば謡曲『野宮《ののみや》』『葵上《あおいのうえ》』に見られる六条御息所《ろくじょうのみやすどころ》の妄執と近い。平岩弓枝が能狂言に精通していることは有名だが、ここは謡曲に題材を提供した『源氏物語』そのものを下敷きにしたと考えたい。『源氏物語』賢木《さかき》巻で、光源氏は「七歳」年上の六条御息所を晩秋のある日、嵯峨の野の宮に訪ねる。周囲には秋草が枯れ枯れとなり、虫が鳴き、はかなげな「小柴垣」が印象的だった。ここで光源氏と六条御息所は、「美しい別れ」をする。……

六条御息所は美しく気品があり、書の達人であり、優雅な和歌を詠んだ。その一方で、生霊《いきりょう》・死霊《しりょう》となり、光源氏に愛された女たちに次々に祟った。「白萩屋敷の月」の香月尼も伝統的な教養を体現しているが、火傷でただれた顔の半分が象徴しているように、通之進への純愛が阻止されていることに苦悶し、彼の愛する人々にいつ祟るかもしれない。神話の女神イザナミが、愛する夫イザナギに腐乱した自分の屍を見られた瞬間に、憎悪の情念に凝り固まったのと同じように。

幸福に暮らしている通之進夫婦の平穏を守るために、誰かが香月尼の「恋の妄執」を鎮めなければならない。その役目を買って出たのが弟の神林東吾であり、香月尼と狂おしい愛の一夜を持つことで、彼女を安らかな永遠の眠りへと導いた。

美しい秋の自然を背景として生々しい「女の情感」を描くことが、「白萩屋敷の月」の主眼である。読者アンケートの結果も、その作者の意図が読者に正しく受け止められたことを証明している。ただし、この作品が「古典物語の愛の様式」を大胆に踏まえていることを、ほとんどの読者は意識しないだろう。意識させないほど、平岩弓枝の筆は冴えわたっている。

なお、アンケート十四位の「源三郎の恋」(『幽霊殺し』収録)は、幼時に世話になった婆やの病気見舞いに行った青年が、隣に住む謎の美女の虜となる、というストーリーである。ここでの作者は、『源氏物語』夕顔巻の世界を江戸末期に移植して、「正体不明の妖女」の犯罪を描き出す。

短編から長編への一大転回

わたしが不思議なのは、シリーズ初期の佳作「千鳥が啼《な》いた」(『狐の嫁入り』収録)が読者アンケートで二十位以内に入らなかったことである。訳あって実父と引き裂かれた少年が、「形見の品物」である千鳥の鐔《つば》を証拠として実父と対面しようとするが、結局は断念して養父母と暮らそうと決心する。王朝の『源氏物語』では、父の柏木は我が子の薫へ横笛を伝え、中世の『小敦盛』では平敦盛は我が子へ太刀を残した。そして、近世の歌舞伎でも「親の形見」がしばしば親子の情愛のシンボルとして重要なモチーフとなっている。

「千鳥が啼いた」は、古代から近代まで日本文学を支えてきた普遍的な情感を利用している。しかし、「白萩屋敷の月」ほど読者の支持は得られなかった。現代日本人は、いつの間にか「引き裂かれた男女の純愛」には感動しても、「引き裂かれた親子の情愛」には共感できなくなってしまったのだろうか。ここに潜む問題は実に大きく、シリーズの現在と未来を考えるうえで避けて通れないものがある。

『御宿かわせみ』シリーズは、「美男の医者」(『白萩屋敷の月』収録)あたりから、文学としての質を深めるための戦略が意識的に敷設され始める。神林東吾とるいの結婚の最大の障壁となっている麻生七重の結婚相手が出現したのである。東吾とるいは「身分違いの恋」によって隔てられ、それゆえに「あはれ」をそそり、読者から同情された。結婚後も、るいが子どもを生まないことで、光源氏と紫の上との関係にも似た愛の閉塞感を漂わせ、これがまた読者を泣かせた。しかし結果的に、この二人は「祝言」（『恋文心中』収録）で夫婦となり、「立春大吉」（『源太郎の初恋』収録）で待望の長女が誕生し、絵に描いたような幸福なカップルに収まる。こうなると、読者の共感は徐々に彼らから遠のいてゆく。この危機を打開すべく、作者は日本文学の「伝家の宝刀」である「引き裂かれた親子の苦悩」というテーマを抜いた！　平岩弓枝の師である長谷川伸は、このテーマを用いて名作『瞼の母』を書いている。

「雪の夜ばなし」（『鬼の面』収録）は、ある女性と東吾が「一夜の契り」を結ぶ話である。女性が懐妊して東吾の子を出産するストーリーの伏線となっている。ここで東吾の子だけでなく、長編的なストーリー展開までもが懐胎したのだ。この子と東吾の「秘密の父子」の交流は、これ以後の短編と短編とを有機的に結びつけ、シリーズ後半があたかも一つの「長編」であるかのような印象を与える。このような短編の繋ぎ方こそが、『伊勢物語』や『源氏物語』以来の日本的長編の誕生プロセスだった。そして、東吾の隠し子がいつどのように実父と対面するのか、この秘密をるいが知ることはあるのか、東吾の二人の子どもたち（異母兄妹）が将来愛し合って近親相姦に陥る危険性はないだろうか、などと読者は手に汗を握るはずだった。

けれども、『御宿かわせみ』シリーズの読者たちは、まだ作者のほのめかせた構想を全面的に受け入れるには至っていないように思う。「秘曲」(『秘曲』収録)は、読者アンケート十二位にノミネートされている。この作品には短編としての独立性(鷺流本家の人間関係)と長編としての連続性(東吾の隠し子問題)とが二本立てになっている。ただし、読者は、おそらく短編的な一話完結の作品として「秘曲」を読んで支持したのだろう。長編の「隠し子」の系列に属する作品のアンケート結果が、それほどよくないことからの推定である。

読者の躊躇の果てに

『御宿かわせみ』の愛読者たちは、かく言うわたし自身も含めて、まだ短編としてシリーズを読みたがっているのではないだろうか。長編として読む覚悟をしていないということだ。けれども、作者の側は着々と「長編化」の布石を打っており、読者の要請次第でいつでも本格的な長編へと傾斜できる準備を完了している。

ペリー来航のもたらした激動は、京都の治安悪化をもたらし、まもなく鳥羽・伏見の戦いの火ぶたが切られ、江戸開城と上野彰義隊の悲劇が起こる。この時、神林東吾や畝源三郎は、どう身を処するのか。

軍艦操練所勤務となって船に乗った東吾の長期不在中に、るいは自力で事件解決の手掛かりをつかみ、精神的に自立し、「悲恋に泣く弱い女」から「強い母親」へと成熟する。「犬張子の謎」（『犬張子の謎』収録）の「夫婦になってからの歳月がるいに自信を持たせてもいた」という文章も、るいの女性としての成長を物語っている。これらは、明治維新後の「東吾なき家庭を守る家刀自《いえとじ》るい」の伏線なのだろうか。しかし、読者は東吾なきるいの姿など思い浮かべたくない。

『源氏物語』は、光源氏という最大のスーパーヒーローを作者が思い切って放棄して、その没後の子孫の物語を宇治十帖で描いた点に「傑作」たるゆえんがある。柏木密通事件の混乱と紫の上の死去を描くことで、作者の紫式部は光源氏の退場を読者に十分に納得させてから、宇治十帖へと筆を進めた。この一大転回の中に、王朝という時代の歴史精神が見事に具現された。『御宿かわせみ』の読者は、まだまだ神林東吾とるいの醸し出す江戸情緒にひたっていたいのである。そして、間もなく訪れる「悲劇の予感」におののきつつも、「現在」という瞬間を精一杯明るく生きていきたいのである。これは、「江戸情緒」が完成し、文化的成熟の極みに達した「文化文政」への郷愁とも通底している。

老練な作者は、いつまでも変わりたくないと願っている読者の心に配慮する一方で、徐々にある方向へと作品世界を導きつつある。やがて、頃合いを見計らって「平成の物語作者」平岩弓枝は、紫式部がそうしたように、主人公たちの表舞台からの総退場と、子どもたちの世代の物語の開幕という一大転回を一気に作動させるのだろうか。あるいは、『源氏物語』とまったく異なる流儀で、物語を超える新しい「短編的長編」の様式を確立するのだろうか。

わたしは、『御宿かわせみ』の同時代の読者として創作の現場に立ち会っている幸運を感じる。『御宿かわせみ』は、シリーズ全体として『源氏物語』と匹敵する現代小説となるのか、それともある意味で『源氏物語』を超えるのか。作品の到達点は、現代読者の要求の質をも照らし出す。二十一世紀の文学と日本人の感性は、どのように変わってゆくのか。平岩弓枝が持っている時空を超えた「翡翠《かわせみ》」の目を、読者であるわたしたちも持ちたいと思う。

【付記】島内景二「平岩弓枝の文学世界」（『電気通信大学紀要』13巻2号）は、本稿の趣旨を発展させて「かわせみ」を文学史的に位置づけたものである。あわせて参照していただければ幸いである。

時の流れる捕物帳

「かわせみ」の時代背景から捕物帳の系譜に占める位置まで、コンパクトにまとめた一文

寺田　博
（文芸評論家）

平岩弓枝の『御宿かわせみ』という連作形式の小説シリーズが雑誌に連載され始めたのは、昭和四十八（一九七三）年のことである。今から二十八年も前で、二〇〇一年一月号の「オール讀物」に「初春弁才船」が掲載されたことによって、『御宿かわせみ』は二つの世紀を跨《また》いで執筆されたことになる。

このことですぐ連想するのは、戦前戦後を跨いで発表され続けた野村胡堂の『銭形平次捕物控』シリーズで、これは昭和六（一九三一）年から三十二（一九五七）年に至る二十七年間にわたって執筆された。『銭形平次』には長編が二十一編も書かれているので、同一作品の量としては及ばないにしても、作者が作品世界にかかわる時間としては、『御宿かわせみ』は伯仲《はくちゅう》することとなった。

これほど長期にわたって書かれ続けたのは、両作品ともひとえに多くの読者の支持を得たことによるだろう。大正時代に岡本綺堂が『半七捕物帳』ではじめて開拓した〈捕物帳〉という形式は、その後、多くの作家たちによって少しずつ変化をとげながら踏襲

され、現在の『御宿かわせみ』に至っている。市井に生きるさまざまな人間がさまざまな事件を引き起こし、推理力や武力にひいでた探偵役としての御用聞きが事件を解明し、場合によっては犯人を捕まえるという形式は、まず民衆の生のありようの多彩なヴァリエーションを提示することとなり、まさに小説というジャンルにとって万人向きの手法となったと考えられる。

さらに、それらの生の背後に、江戸時代なら江戸時代という一つの時代の世態・風俗・人情が写し出され、そのうえ、能力のあるヒーローが事件の謎を解き、法や倫理によって犯人を裁く過程が加えられるので、読者は溜飲を下げることができたし、小説を読む楽しさは倍加されたのである。一時代前の小説愛好者のほとんどが、〈捕物帳〉を読んできたのも当然のことだった。

ところで、〈捕物帳〉の系譜には、『半七』『銭形』のほかにも、佐々木味津三『右門捕物帖』、横溝正史『人形佐七捕物帳』、城昌幸『若さま侍捕物手帖』などがあり、拡大解釈をすると、佐々木味津三『旗本退屈男』や村上元三『松平長七郎旅日記』、戦後大ヒットの池波正太郎『鬼平犯科帳』『剣客商売』などもこの系譜に連なってくる。これらの場合は、事件を解明するのは必ずしも御用聞きでなく、『鬼平』を別にすれば、当時の警察機構とは無縁のヒーローが登場することにもなった。そして、現在はさらに一歩すすんで、事件を解明するのは、公正で、情理を兼ねそなえた人間であれば誰でもよく、むしろ、この探偵役の人間的魅力が〈捕物帳〉という形式をリフレッシュさせているような作品が、幾人かの作家によって書かれてきている。

さて、そのなかでもっとも長く書き継がれてきている『御宿かわせみ』は、どのような特色をそなえているのか、さぐってみたい。

まず多くの捕物帳と同じようにシリーズ形式で一話一話が構成されていくが、主人公の神林東吾が警察機構の関係者ではなく、一介《いっかい》の剣術師範にすぎないことは、この作品の一つの特徴といっていいだろう。ただし、主人公の周辺は八丁堀関係者に囲まれているので、犯罪に遭遇する機会は多く、しかも自由人の眼と頭脳で事件を観察し判断するので、広がりのある人生模様のなかから発生した人間的な事件が描かれることになる。そのうえ、幕末有数の剣客、斎藤弥九郎が称揚したように、東吾は神道無念流の風のような受けの剣を体得しているだけに、それが人柄となって、焦りのない純粋な視線を事件にあてることができる資質を持っていると想像される。

もう一つの特徴は、事件の解明にあたるのが、東吾だけでなく、東吾をめぐる人脈の協力関係、すなわち複数の人の輪であることだろう。殊に、東吾をはじめ、定廻り同心の畝源三郎、蘭方医の麻生宗太郎らが夫婦単位、また子どもをふくめた家族単位で物語に登場するようになって、家族小説のような様相をも呈してきている。最初から読み続けている読者にとっては、各夫婦の蜜月時代を知っているだけに、歳月の蓄積をふくめて読みとることができ、新しい感慨にふけることになる。

このように、『御宿かわせみ』の最大の特色は、二十八年前から、物語のなかを貫通して、時間が流れ続けていることなのである。忍ぶ恋の当事者だった東吾、るい夫婦だけでなく、周辺の人たちの人生にも歳月が流れ、源太郎、花世、千春などというそれぞれの子どもたちが次世代として育ちつつある。さらに、方月館で方斎や東吾の世話をしていたおとせの息子の正吉、東吾の兄通之進の養子になった麻太郎まで加えると、今後もこの二世たちが、賑々しく登場して活躍することも予想される。このことを文学史のうえで考えてみると、終始年をとらなかった銭形平次と対照的に、親子孫三代の築城家の二家対立の運命を描いた白井喬二の大作『富士に立つ影』のように、大河小説的な捕物帳に発展することをも、勝手に夢想したくなってくる。

それにもう一つ、片づいていない問題がある。神林家の養子となった麻太郎の存在だ。彼はわけがあって、東吾が七重の友達の琴江に産ませたと信じ込んでいる少年で、わけというのは、「雪の夜ばなし」(『鬼の面』収録)にあるように、七重と宗太郎の祝言の夜、過去に負った傷《トラウマ》のせいで男を近づけない琴江を、懇願されて東吾が抱いてしまうということがあったからだ。その後琴江は、柳河藩士の後妻に入り、麻太郎が生まれた後、その藩士は病死し、今や琴江も亡くなって、麻太郎はめぐりめぐって神林家の養子となっている。本来は、東吾が神林家の跡継ぎと想定されていたのに、るいと夫婦になるために神林家を出て、「かわせみ」に住みついた東吾としては、何となく隠し事をしたようで苦悩が深い。

これはもうシリーズの一挿話というよりも、長編小説にふさわしい重い主題であり、ここ二三年の「かわせみ」にただよう影となっていたが、「嫁入り舟」(『長助の女房』収録)で、兄夫婦の通之進と香苗が、すべての事情を承知のうえで、麻太郎を養子にしたことがわかり、読者としても東吾とともに愁眉をひらくことになったのだった。ただし、今のところ、麻太郎の件に関して、東吾とるいがどの程度に話しあい、諒解しあっているかはまだわからない。二人の恋がひとすじのものであり、千春も生まれただけに、読者は物語の進行を見まもるだけである。

もとより歳月は「かわせみ」のなかだけでなく、日本の国にも流れたので、物語の背景となる時代は、風雲急を告げる幕末に入ってきている。東吾はかつて、るいと祝言をあげる直前に、「恋文心中」(『恋文心中』収録)に書かれているように、幕府の講武所《こうぶしょ》教授方という辞令をもらった。それに少しおくれて、軍艦操練所での学習を命じられた。「奇数日は駿河台の講武所へ、偶数日は築地の軍艦操練所へと、東吾の日常は更に複雑になった」と本文に書かれている。主人公の東吾が、公務についたことで、読者には時代背景がわかるようになった。

そもそも講武所というのは、ペリー来航後、旗本御家人に武術を講習させる必要性を痛感した幕府が、安政元年、築地に開設したものだが、同四年には、講武所内に軍艦教授所(のちの操練所)が開設され、同六年には、築地は軍艦操練所の専用地となり、講武所は神田小川町へ移転となったので、東吾が勤務するようになったときは、安政六年以降と特定できそうだ。講武所は当時、槍術九十名、剣術九十六名、砲術九十一名、弓術七十六名、小銃百五十名余で編成された大組織だったが、東吾は、そこでは剣術を教えていた。

軍艦操練所は、本文によれば「今まで手に取ったこともない洋書の写しを読まされたり、耳馴れない外国語を理解したり、海図の見方から操船術まで」とあるように、測量・算術・造船・蒸気機関・船具運用・帆前調練・海上砲術・大小砲船打調練・水泳水馬などの課目を教えた。因みにジョン万次郎こと中浜万次郎もここの教授だったし、のちの海軍兵学校の前身でもあった。東吾は、勝安房守《あわのかみ》の推薦でここに入ったと通之進が述懐するくだりがある(「恋文心中」)が、多忙になったことは確かである。

この二つの幕府直轄の学校が『御宿かわせみ』のなかに重要な影を落とすことはまだないが、「神明ノ原の血闘」(『宝船まつり』収録)には、軍艦操練所の同僚の御家人が、腕の立つ定廻り同心とともに強盗団に入っていたことがわかって、東吾と源三郎に取り押さえられる話があったり、「横浜慕情」(『横浜慕情』収録)では、宗太郎、源太郎、花世たちと横浜見物に出かけた東吾が、浅間山の木立で首をくくろうとしていた外国人を助けると、その外国人は、東吾が軍艦操練所の練習船で長崎へ行ったとき、世話になったジョンという英吉利《イギリス》の水兵で、美人局《つつもたせ》にだまされたというので制服を取り戻しにいく話があったりして、少しずつ関連する話が登場しつつある。

最後にもう一つ、このシリーズ全体の大きな特徴を特記しておきたい。それは全体を通して、江戸の自然の、四季の変化と地誌が克明に写生されていることである。とりわけ、桜、卯の花、蛍、紅葉、雪、縁日、凧、雛まつり、ほととぎす、七夕、桐の花、風鈴、藤、紫陽花、梅、桃、酸漿《ほおずき》、萩といったとりどりの風物が、それぞれの物語の背景となって、未知の者にも懐かしく感じられる江戸風物詩を写し出している。年末から正月にかけての行事をはじめ、年中行事も詳細に描かれる。また「かわせみ」が大川端に設定されているので、入り組んだ川筋の案内もくわしい。〈捕物帳〉の開祖『半七捕物帳』にあった江戸風物詩を受け継いだ正統の作風が、今日まで踏襲されているのである。

このように、二代の登場人物、歳月の流れ、幕末、江戸風物詩という特色を持ち、二十八年書き継がれてきた小説シリーズは、これからどこへ行こうとしているのか、興味は尽きない。

憧れのひと・おるいさん——「わたしもいつかはこんな女性になりたい」若手時代作家による、おるいさんへのオマージュ

諸田玲子（作家）

おるいさんは憧れのひとです。

はじめて「御宿かわせみ」を知ったのは、NHKのドラマでした。ドラマのなかでおるいさんを演じていらしたのは真野響子さんでしたが、仕事でご一緒したことがあり、ふわりとやさしいイメージに加え、ちゃきちゃきとして世話女房的なところや、案外男っぽい物事の考え方まで、「ああ、ぴったりだな」と勝手に思っていました。

というのは、私はその頃、時代小説や時代物のドラマにはなじみがなく、おるいさんを〝江戸の女〟というより、ごく身近な女性として見ていたからです。それはそのあと本を愛読するようになってからも同じで、一作ごとに首を長くして再会を待ちわびているうちに、いつのまにか、ふたつみっつ年上の憧れのお姉さん、といったイメージがすっかり出来上がってしまいました。

当時の私は二十代の半ばで、実際にはおるいさんと同年齢でした。年上に見えたのは、自分にはないしっとりとした色気に圧倒されたせいでしょう。

第一作目のおるいさんは新米の旅籠の主《あるじ》で、町方の暮らしには不慣れな武家娘です。素人っぽさはかわせみ最大の魅力でもあり、おるいさんの初々しさ瑞々しさは年月を経ても色あせることはありません。でもそれと同時に、はじめて私の前に登場した瞬間から、おるいさんは艶やかな大人の女でした。

「あら、東吾さま……」

上りがまちに立っていたるいが、嬉しさを奉公人の手前、僅かに抑えた声をたてた。

正直なもので、白い頬がすぐ上気して、なんとなく衿許《えりもと》へやった手に、女らしさが匂いこぼれるようである。　（「初春の客」）

恋する女の恥じらいと華やぎが伝わってくる印象深い場面です。これだけで、華奢な指先やうなじの後れ毛、ふっくらした唇の形までが鮮やかに浮かび上がってきたものです。

それでいて、おるいさんにはおきゃんで子供っぽいところもあります。代々木野で出会った謎の女に恋人の東吾がひと目惚れされる「師走の客」をはじめ、おるいさんが焼き餅をやく場面はしばしば出てきます。

るいの焼餅やきは、二人が夫婦になる以前からのことで、つまらないことでもすねたり、涙ぐんだりする。

嘉助やお吉にとっては

「かわいいお嬢さんの焼餅やき」

と、すっかり馴れっこになってしまっているが、……（以下略）（「煙草屋小町」）

名は体を表すといいますが、そういえば〝るい〟という名には、やさしい語感とはずむような響きがあります。その名の通り、大人の色気と愛らしさを兼ねそなえたところが、恋人の東吾ならずともおるいさんに魅せられる理由でしょう。

もうひとつ、私がおるいさんに魅かれたのは、凜とした生き方でした。おるいさんは同心の娘です。そうしようと思えば、婿をとり、家を継ぐこともできました。でなければ東吾の愛にすがり、根気よく待ちつづけて、神林家へ嫁ぐこともできたかもしれません。でもそうはしなかった。市井に下り、旅籠の女主になりました。それも、東吾が長崎に滞在している間に、自ら決断して行動に移してしまったのです。

正直なところ、二十代三十代の私は、おるいさんの潔い生き方に憧れる反面、歯がゆさを感じたり、悔しさを感じたりもしました。私にはとても出来ない、好きな人のためとはいえ日陰の身の哀しみを背負って生きるなんて――と思ったのです。

それがいつの頃からか、すーっと霧が晴れました。おるいさんの生き方に共感を覚えるようになったのは私自身の経験によるもので、「祝言」で東吾と晴れて夫婦になり、「立春大吉」で長女の千春が誕生して、結果的に幸せを手にしたからではありません。

おるいさんは私よりはるかに大人で、とうにわかっていたのだと思います。無理をしたり我を通したりすれば、愛情まで壊れてしまうということが……。男女のつながりはそれほど脆く、頼りないものです。だからこそ、一歩退き、自分の道を歩こうとしたのではないでしょうか。

おるいさんは東吾に頼らず、自ら生計をたてる道を選びました。それが形や名にとらわれない、まことの愛を貫く方法だと信じたのです。自立した女性とは肩肘をはって男に伍してゆくことではなく、ひっそりと我が道を歩くことだと、おるいさんは身をもって教えてくれました。おるいさんと東吾の愛が歳月を経ても変わらず、それどころかなおいっそう深まってゆくのは、おるいさんが自分をしっかり見つめて生きているからでしょう。

そのことに気づいたとき、ハードボイルドの旗手・チャンドラーの名言ではありませんが、「強さとは優しさだな」とあらためて思いました。それも表面の優しさではありません。心の深いところに無常観というか、流れゆくものへの諦観のようなものがある――うまくいえませんが、そうしたものを踏まえた上でにじみ出てくる、それがおるいさんの強さであり優しさだと思います。

かわせみは大川のほとりに建っています。黒々とした川の流れ、寝静まった江戸の町、夜霧の中に浮かび上がる「御宿かわせみ」の小さな行灯……。人の業がときに暴れ狂い、氾濫する川の流れであるとしたら、かわせみはひとときその渦から逃れ、安息を得るための宿です。歩き疲れた旅人が行灯を見てほっと息をつくように、おるいさんの笑顔に出会ったとき、私たちの心にもぽっと灯がともります。

「御宿かわせみ」では、毎回、陰惨な殺人や騙し合い、悪事の数々が出てきます。哀しい結末に終わる話が多いのに読後感が爽やかなのは、おるいさんを取り巻く愛すべき登場人物の面々もさることながら、核となるおるいさんの、見せかけや付け焼き刃ではない、生来の温かな人柄のゆえでしょう。それは「人をまっすぐに見る目」といってもよいかもしれません。

おるいさんの澄んだ眸を通して事件を見てゆくことで、いつの世も変わらない人の営みが滑稽にも愚かしくも思え、そこからまた人間が愛しくなる。こんなにも醜いものがありながら、そのすぐそばにこんなにも優しいものがある。見る目や生き方で人が鬼とも仏ともなることに心を動かされるのです。

「澄んだ眸」で思い出しましたが、なにげなく立ち寄った居酒屋や喫茶店、あるいは旅先の街角で、おるいさんに出会うことがあります。とびきりの美人ではありません。若かったり歳をとっていたり、恰好もジーンズだったりスーツだったり、一見しただけでは、それぞれの女性に共通した特徴はありません。でも私は、「あ、おるいさんだ」と即座に思います。そんなとき一緒にいる男性の顔を見ると、決まって目尻が下がって、子供のように邪気のない顔をしています。

なぜ、おるいさんだと思うのか。よくよく思い起こすと、包み込むような笑顔、自然でさりげない態度、言葉少なく、相手の話にゆったり耳をかたむける姿が、みな似通っていることに気づきます。そしてとりわけ、彼女たちの眸——。柔和な光をたたえた眸は、川のほとりにたたずみ、日々転変する流れを見つめる静かなまなざしです。旅人を迎えては送り出す旅籠の女主の温かなまなざしです。私が心のなかで描きつづけているおるいさんの眸そのものなのです。

「おるいさんみたい」というのは、同性に対する私の最大の賛辞です。自分もそうなりたいと願いながら一向になれない私にとって、おるいさんは憧れのひと。そんな女性に出会うと、私まで優しい気持ちになります。

旅路のどこかにかわせみがある。おるいさんがいつもの笑顔で迎えてくれる。相も変わらず淀んだ流れの中であっぷあっぷしている私には、おるいさんとの再会が毎回、待ち遠しくてなりません。

「御宿かわせみ」の食文化——重金敦之、平岩弓枝

こはだのお鮨や鯉の洗鱠から、お吉の漬物まで。名前を聞いただけでよだれが出てきそうな、「かわせみ」グルメの数々をご紹介

重金　「かわせみ」の朝ご飯は、いつも美味しそうですね（笑）。

大根の千六本の味噌汁はもう何度かあたため直したので味噌の香がとんでしまっていたが、梅漬けの紫蘇の葉を細かく刻んで炊きたての飯にまぶした「かわせみ」自慢の朝飯は嘉助の大好物で、年をとって来てからは腹八分目を心掛けているのに、つい三杯目をお吉によそってもらうことになる。煎《い》りたての白胡麻を飯の上にふりかけながら、嘉助は柔和にみえる眼の奥を光らせた。

（「恋ふたたび」・『幽霊殺し』収録）

平岩　私も、旅に出て、朝ご飯が美味しい宿って好きなんです。だから朝ご飯を一生懸命に工夫しようと思ってるんですけど、でも、言われましたよ、「かわせみ」のお献立

はほんとに慎《つつま》しやかですねって（笑）。その通りなんだけど、豪華なお料理って、あの時代にはないですよね。

重金 豪華なのは、一部の高級料理屋さんだけです。「かわせみ」は宿屋ですけれども、あのころは、一応素泊まりというのが原則でした。

平岩 ええ、あれはもうほんとに例外中の例外ということです。だいたい宿はみな素泊まりで、ご飯は外へ食べに行きますでしょ。それからもちろん内湯はなくて、銭湯へ行きました。お風呂は許可が取りにくかったんですね。ですから、だいたい江戸の宿で、あんなに朝からご飯出してくれたり、晩ご飯も出してくれたりっていう宿はほとんどない。浴衣を出してくれるわけじゃないし、みんな着たきり雀で寝るわけです。

「かわせみ」の場合は少々こじつけたんです。大川端町というのはいわゆる旅籠町じゃありませんでしょう。周りは商家ばっかりで一膳めし屋のようなものもないし、だからやむなく知り合いに頼まれてご飯を出したんだと。で、朝ご飯を出したら、夜も食べたいという人には出さなきゃならなくなった。いわゆる割烹旅館というか、これも明治に入ってでしょうけれども、向島あたりのお料理屋さんで、場合によっては泊めるという、ああいう形をふくらませて作っているんです。

重金 それにしても美味しそうですよね。

平岩 ありがとうございます（笑）。それから、お風呂はですね、あそこ川っ縁ですから、比較的許可が取りやすかったと思うんですね。それで、おるいさんは武家の出で、しかも八丁堀だから、つてを頼ればなんとかなるんじゃないかという……。

重金　内湯が禁止っていうのは、やはり火事が怖いから、宿で風呂を立ててはいけないということですか。

平岩　ええ、その通りです。武家屋敷以外は、町人はほとんど、よっぽどのお金持ちでないかぎり、原則としては内湯はないですよね。

重金　火の制限というのは、相当厳しくて、屋台なんかでも、火を使うのはむずかしかったようです。

平岩　江戸の火事っていうのは、ともかくひどいんです。江戸城まで全部燃えちゃうくらいだから、やはり神経遣ったんだろうと思いますね。

重金　いま目の前で美味しそうな天ぷらが揚がっているんですけれど、「御宿かわせみ」の中には天ぷらはほとんど出てこないですよね。

平岩　天ぷらそのものは庶民の食べ物として人気があったようですが。ただ、私が知る限り、いわゆる天ぷらっていうのが店として出たのは、幕末でしょう。それまではいわゆる屋台の天ぷらだったと、私は聞いてるんですが。

重金　そうです。屋台で、いま大阪にある串カツ屋みたいな感じで、どんぶりに入った天つゆ汁にどぼんとつけて、立ち食いをしたようですね。

平岩　材料は大川のキスとかですね、河口の。海のお魚が川へ上がってくるのを釣ってくる。

重金　キスとか、ハゼ。それからメゴチ、ギンポとか。アナゴ、エビはもちろんあったでしょう。

平岩　アナゴといえば、この間、羽田でアナゴが漁れますって言われてびっくりしました。羽田の空港の近くで釣糸をぶらさげてると、かかるんですって。天ぷら屋さんに聞いたら、夜行性の魚だから、会社が終わってから釣りに行く人がいるんだそうですね。

重金　江戸のころも夜釣りをする人があったかもしれない。

平岩　今度、東吾さんにアナゴ釣りに行かせようかしら（笑）。これは山東京伝が書いているんですが、天ぷらは利助という天竺浪人が、ふらりと江戸へやってきてつくったっていうんです。

重金　「天ふらり」ですね（笑）。

平岩　「天」は揚げることで、「ぷら」っていうのが小麦粉の薄いのをかけるという意味だと。もちろんこじつけですよね。でも、流行ったみたいですね。それまでの食生活からいったら、とても美味しかったんでしょう。

重金　ウナギなんていうのも、当時としては大変なご馳走だったわけでしょう。

平岩　ご馳走でしょうねえ。

重金　値段も相当高いようですしね。

平岩　あれは家庭ではできませんからウナギ屋さんへ行って食べる。

重金　それに比べて、お鮨が気軽な食べ物でしたよね、当時は。お鮨屋さんはいまと違って屋台ですからね。棒手振《ぼてふ》りで売りにくるのを買って食べる。あるいは、内店で買って家に持ち帰るわけですね。

平岩　お稲荷さんもそうですね。私、お稲荷さんが好きだから、よく出てきますでしょう。いまも昔も、女子供はお稲荷さんが大好きなんです。

重金　いまみたいな握りではなくて、大阪鮨に近いじっくり握った感じのものだったようですね。ネタは東吾の好きなコハダの締めたものとか、そういうのが多かった。

「女を怖いと思っているのは、手前だけではないようですな」
源三郎が満足そうに笑い、東吾はやけくそのように鮨を食べている。
「鮨や、鮨や、こはだの鮨……」
という鮨売りの小意気な声が、神田川のむこうに遠くなった。
川風はひどく冷たい。
江戸の正月気分も、今日あたりまでとみえた。

（「迎春忍川」・『狐の嫁入り』収録）

平岩　お酢がきいててね、腐るのを防止するために。

重金　お鮨の流行は、やはり酒粕からお酢をつくる技術が生まれたということが大きかったんでしょうね。コクと風味がありますから。時期とすると江戸の中期以降かな。

平岩 屋台で気軽に食べるものとして人気があったそうですね。

重金 江戸を代表する食べ物というともうひとつ、そばですね。そば屋は社交場のような役割もあったようです。二階にあがって、お酒をやりながら寛ぐとか。東吾もよく長寿庵の二階にあがりますけれど（笑）。

平岩 まあ、長助さんのところで食べるんだったら、おかめそばくらいかもしれないけど（笑）。

重金 ともかく、江戸の町はそば屋の数がものすごく多かったといいますから、流行したんでしょうね。いまは、町からどんどんそば屋さんが消えていく時代ですが。

平岩 そうですね。どこの町にもあった、長寿庵みたいなおそば屋さんが意外と減ってるんです。で、ラーメン屋が増えた。昔はね、普通のおそば屋さんに、支那そばって言ってね、肩身狭くいたんですよ、ラーメンは（笑）。私、あれ好きだったけど。

重金 鳴門が一枚ぐらい入っててね。

平岩 そうそう。「砂場」などでは、玉子焼きなんかも出しますねえ。ああいうのはやっぱり江戸も出してたんでしょうか。

重金 そば屋の玉子焼きは辛汁が入っていました。あとは、焼き海苔と、板わさぐらいでしょう。

平岩 味噌は？

重金 そば味噌は「藪」が考えたものなんです。

平岩　あれは鉄火味噌ではないんですね。

重金　そばの実ですからね。まあだいたい鉄火味噌に近いですが。

平岩　鉄火味噌って、私、昔ご飯の上にのっけて食べるの好きだった。黒っぽいお味噌に、大豆が入って……。

重金　大豆にゴボウ、唐辛子が入ってますね。

平岩　辛いの。ご飯を何杯でも食べられちゃうくらい。いまはもう鉄火味噌ってなくなりましたねえ。

重金　ないですねえ。でも「かわせみ」の名物なんですね、鉄火味噌って。

ちょうど、東吾が家にいて、
「折角、来たんだ。寒さしのぎに一杯やって行けよ」
遠慮する長助を居間へひっぱり込んだ。
「かわせみ」自慢の鉄火味噌で、熱燗を二、三本、いい調子で舌がなめらかになった長助が、世間話をはじめた。

（「薬研堀の猫」・『かくれんぼ』収録）

平岩　鉄火味噌よく出すでしょ。自分の思い出を一生懸命たぐって、美味しかったと思うものを書くんです（笑）。「かわせみ」でよくそばがきを作るのは、昔、そば粉をもらうと、わが家はすぐそばがきにしたんですよ。父はおそばが好きだけど、自分の家ではなかなか打てませんでしたからね。それなのに、どうも私でも作れそうなものばっかりが並んでるって、みんなが言うんですよ（笑）。

ついこのあいだも投書が来て、いつもいつもそばがき食べて、どうしておそばを打たないのかって叱られちゃって、しようがないんで「かわせみ」に長助が出張してきて打ったりして。

重金　「かわせみ」ではご飯を美味しそうに食べるシーンもよく出てきますが、なにしろ江戸の人たちは、お米を食べるのが好きなんですね。お米さえ食べてればいいという……。

平岩　一人一日五合って書いてありますよね。五合ですよ。一回の食事が二合五勺。

重金　だから、鉄火味噌とご飯というのはいい取り合わせだった（笑）。

平岩　うちは父がからいものが好きだったんです。だからお味噌汁でもなんでも、すごく濃い味でしたね。父は旗本の後裔で、武士の家系というのは倹約を旨とする。わずかのお菜でご飯をたくさん食べる。戦場へ行って働くとき空腹では役に立たない。そういうこともあるのかなと思います。

もうひとつ、徳川の旗本はだいたい三河出身でしょ。からいからいあのお味噌の産地ですものね（笑）。

それから煮魚を食べ終えましてね、骨のところへお湯を注いで、それを飲むの。あれだけはやめてもらいたいと思ってましたけどね。

天ぷら屋の主人　アジの煮たのなんかでやると美味しいんですよ。私、大好きでしたよ。

平岩　ああ、そうですか。

主人　骨湯《こつゆ》っていいましてね。下町ではよくやってましたね。

重金　じゃ、江戸のころからあったのかもしれませんね。

平岩　たしかにだしが出るから美味しいんだろうと思うんですがね。

重金　昔はおてしょに残ったお醬油などもお茶かなんか入れて飲みましたものね。

平岩　ほんとにそう。

重金　それはお醬油というか、塩が貴重品という意識で、それは残してはいけないということなのかもしれませんね。

平岩　だってほかにたいした調味料ないんですものね。

重金　さきほど「かわせみ」の朝食は慎しいというお話がありましたけど、江戸の食卓はそんなに御馳走はないんですよね。

平岩　江戸時代、冷蔵庫がないわけですからね。冬の江戸は寒いから、朝、河岸から買ってきておいて、夜お料理したってなんとかなると思いますけど、夏はえらいことですよ。

重金　そうですよねえ。

平岩　とにかく煮るか焼くか、速やかに調理しとかなかったらもたない。だから煮魚が多かったでしょうね。木更津河岸ですか、日本橋の魚河岸のところに、生け簀《す》のある魚屋があったんですね。それで上がってきたのをそのまま生け簀に入れといて、大名家やお城に持っていくんです。一方庶民のほうはもっぱら干物とか、買ってきて早々、煮魚にするとか。

重金　東吾の好みのカツオなんかも……。

平岩　あれはたたきにしなきゃだめですよね。カツオはね、板前さんが苦労したと思いますよ。五月っていうと夏ですからね。生姜をつけたっていうのも、あれは、やっぱり臭み止めもあるでしょうけど……。

重金　殺菌効果も考えてのことでしょう。

平岩　お酒にしたって、防腐剤はないわけだから、保存するのはたいへんだったでしょう。酒問屋さんでは保存のために蔵に入れておくわけですが、夏、小僧さんが、蔵の戸を閉め忘れて、一夜でお酒が腐ったっていう話が出てきますよ。それが知れると店が左前になるからというので、夜中にお酒を捨てに行く。海へ持ってって流して、よそからべつのお酒を仕入れてさりげなくごまかすとか。

重金　造り酒屋でも、当然いまみたいな瓶なんかない時代ですから、ちょっと菌が入るかなんかしても、一瞬にして変質しちゃうんですね。

平岩　灘のお酒などは真冬にでき上がったのを、冬の間に海路で江戸へ送るわけですよね。暖冬なんかだったら悲惨ですよね。

重金　酒の肴は、鯉がやっぱり中心だったようですね。通之進に鯉の生き血を届けるというのがありましたけども……。

平岩　よく精がつくって言いますね。

　鯉の洗鱠《あらい》で酒を少し飲み、大根の千六本を昆布と鰹節のだしでさっと煮たのを、

「これは旨いですね。こういうものを食べていると夏まけはしませんよ」

　椀に三杯もお代りをして、宗太郎は本所の邸へ帰って行った。

（「愛宕まいり」・『犬張子の謎』収録）

平岩　私がもの書きになってからですから、昭和の三十年代ですよね。サトウハチローさんや堀内敬三さんたちと、山形へNHKの仕事で行ったんですね。山形に二日いて、朝から晩まで、出るものっていったら、山菜と鯉しかないんです。鯉のあらい、鯉の煮付けに、鯉の天ぷら……。それで帰りの列車に飛び乗ったとたんに、全員が食堂車へ行って、ライスカレーとカツレツを食べて大喜びしました（笑）。

重金　駒形橋のウナギの「前川」も、刺身は鯉のあらいしかなかったんです、昔は。お刺身は鯉のあらいで、あとウナギ。いまはもう鯉のあらいっていうとみんないやがっちゃって食べませんので、鯉のあらいを食べたいと思っても出てこないけど。

平岩　それから鴨を食べましたね、江戸の人たちは。鴨は将軍さまの食膳にもしばしば

上がっているし。

重金　文献には、鶴も食べたっていうのがありますよ。

平岩　将軍さまのお吸い物は鶴。でも、あんまり美味しくないんじゃないですか、鶴って（笑）。

重金　私も鶴は食べたことない（笑）。鶴は長寿に結びつくからというのがあるかもしれないですね。

平岩　あ、それはあるでしょうね。亀を中国人が食べるのと同じでしょうか。

重金　江戸では初ガツオが異常なほど珍重された話はよく聞きますけど、なにしろ江戸っ子っていうのは、野菜でも、初ものというのにすさまじい執念をもっている。

平岩　初ものってよく出てきますね。

重金　初ものを食べると七十五日長生きするとかっていうことを言いますけど、野菜もね、いまと同じなんですね、促成栽培で。値段が高くなるもんだから、お百姓さんも一生懸命つくるわけですよ。それこそビニールなんてないわけですから、筵《むしろ》で囲いをしたり、生ゴミを肥料にして、土を肥やしてですね。ナスでも、キュウリ、インゲンでも、一日でも早く出したい。そういう競争があったみたいですね。

「かわせみ」に葛西舟がいろんな野菜を持ってきますでしょう。あれは読んでいて楽しいですね。江戸時代の雰囲気がとてもよく出ていて。

葛西は、その頃の江戸の市民にとって食膳の宝庫であった。

葛飾の小松菜は日本一の美味といわれたし、寺島村の菜も悪くない。隅田村の芋に綾瀬川の蜆《しじみ》、向島は鯉が名物だし、三囲下《みめぐりした》の白魚は珍味であった。

朝一番に、採れたてを小舟に積んで大川を漕《こ》ぎ下って売りに来る。なんといっても新鮮だし値段も安いので、かわせみの女中頭のお吉は毎朝、待ちかまえていて、あれこれと買いまくる。（中略）舟の上には竹の籠がいくつもおいてあって、つややかな茄子《なす》や胡瓜《きゅうり》、泥のついたままの大根や青菜が朝の陽を浴びていた。

「お嬢さん、みて下さいよ。この枝豆のたっぷりしてること」

お吉が自慢そうにみせた枝豆は、たしかにこの辺りの八百屋の店先にあるものよりも、豆の大きさが見事であった。


（「酸漿は殺しの口笛」・『酸漿は殺しの口笛』収録）

平岩　あの話は、実は川口松太郎先生に伺ったんですよ。川口先生の子供のころも物売り舟が下りてきたそうです。野菜の他にかならず草もちとか豆大福とかがあって、買えたときはとても嬉しかったと先生がおっしゃったのね。
重金　お吉さんなんかね、あれにもう目がなくて……（笑）。
平岩　友人がね、あれはお吉じゃなくて、あなたが食べたいんでしょうと（笑）。
重金　西のほうの野菜といえば、練馬ダイコンですよね。

平岩　私が子供のころまで、うちのあたりまで練馬ダイコンの産地でした。母は箱根神社から嫁に来たんです。さぞかし東京はいい所だろうと思って来たら、まわりじゅう練馬ダイコンの畑だったって（笑）。

重金　がっかりした（笑）。

平岩　豆腐屋一里という感じでね、箱根のほうがずっと都会だと思ったって、いまでも言いますよ。

重金　ショウガのことを「谷中」と呼ぶぐらい、谷中はショウガの産地だし、「穴八幡の虫封じ」に出てくる早稲田のミョウガも特産でした。

平岩　物忘れするという（笑）。

重金　あとは東吾の好きなマクワウリがよく出てくるんですけども、江戸時代はマクワウリぐらいしかないんですね。

平岩　ええ、そうだろうと思って（笑）。子供のとき井戸に吊るしてもらって、冷やして食べましたもの。もちろんメロンみたいに甘くはないんですが、ほのかに甘かった。なんだか今日舞台裏がバレちゃってまずいな（笑）。

重金　マクワウリは府中あたりが産地だったらしいですね。

平岩　府中ですか。

重金　それからスイカが八王子あたり。

平岩　スイカも江戸の終わりですよね、入ってきたの。野菜やくだものもけっこう苦労してるんです。

重金　でも、よくお調べになってると思いますよ。たとえば、白菜が最近長崎から入ってきたというくだりが出てくる。

さくさくと歯切れのよい白菜は、この節、江戸に出廻って来たもので、元は長崎の唐人が母国から種子を持って来たという。東吾の好物の一つであった。
暮に、昆布や鷹の爪と一緒に、お吉が漬け込んだのが、今頃までなんとか食べられる。

（「蜘蛛の糸」・『閻魔まいり』収録）

平岩　そうですね。外国からのものなんですね、あれも。そういう文献があったときは急いで書くんですよ。またそういうことをいつもマークしてる読者の方がいらっしゃるの（笑）。

重金　フグは二回出てきますけどね。母親が自分で食べちゃうというのと……。

平岩　泥棒一味が食べてみんな死んじゃって、一人だけ残る話。

重金　それこそ縄文時代からフグは食べてたみたいですよ。よっぽど死んだ人がいたんでしょうねえ。

平岩　多いと思いますよね。江戸時代だって相当死んでるようですものね。

重金 フグ、スッポンなんていうのはそんなに高級なもんじゃなかったんですね。

平岩 そういうのってありますかね、ほかに。昔は大衆の食べ物だったけれども、いまは高級になったっていうの。

重金 まあアンコウなんかも、昔はほんとに魚河岸じゃ長靴で蹴とばしてたというぐらいのもんですが、いまはかなり高級になりましたよね。

平岩 蹴とばしで思い出しましたけど、馬は食べなかったらしいですね。ことに江戸では食べなかった。馬は戦争に負けたときに食べるもので、武士にとっては縁起が悪いということのようです。だから武士って変なことにこだわってるんですよね。

でも、田舎なんですよ、江戸っていうのは。諸国からの吹きだまりでしょう。だから食文化は上方にはかなわなかったと思う。ほんとに江戸料理って、これっていうものないですよ。いま私たちが美味しいなと思って食べてるものは、系統からすればほとんど関西ですよね。

重金 強いていえばいまの握り鮨ぐらいでしょうね。あれは東京で流行り出した途端に、ひと月だかふた月でもう大阪で真似して出てたっていいますけど。

平岩 ほんとに私、食べ物書くたんびに頭痛い。なるべく江戸の人が楽しんで食べたようなものを書きたいと思うとね。

重金 お菓子をお書きになっているときは楽しそうですが。いろんなお菓子が出てきましたよね。桔梗屋の饅頭とか。

平岩　実はね、私、あんまりああいうの好きじゃないんです。好きじゃないんですけど、友人に好きなのが一人いるんで……。
重金　亀戸天神の葛餅もだめですか。
平岩　あれは好きです。

打菓子は秋の七草を各々、繊細に象《かたど》ったもので、色も形も美しいが、口に含むと舌の上で柔かに融け、程よい甘みとほのかな香がなんともいえない。
練り物のほうは「萩の露」と名付けられたもので、葛の中に、萩の花を思わせる小豆を鏤《ちりば》めた、これもみて美しく、味わって雅《みや》びな逸品である。
（「時雨降る夜」・『神かくし』収録）

重金　あれは京都のほうから流れてきたんでしょうね。
平岩　だいたい美味しいものはみんな西ですよ。ただ、さくらもち、あれは向島で生まれたものじゃないかしら。
重金　そうでしょうね。長命寺のさくらもちは、門番が一生懸命サクラの落葉を掃いていて、これなにか使い道はないかと思ってつくったと言われてますけどね。
平岩　あのサクラの葉っぱを食べるのはちょっとね。私、もったいないから食べましたけど……。

重金　店に訊《き》きますとね、食べないほうがいいと言いますよ（笑）。お煎餅もよく出てきますけれど、あれは普通のお米とお醤油のお煎餅ですか。それとも瓦煎餅のほうですか。

平岩　私の好きな塩煎餅というのは、かなり新しいんじゃないかと思うんです。それで、瓦煎餅にしてるんですよ。香苗さんが食べるとすると、固い煎餅というのは、ちょっとね。お吉がかじるのならばあれでいいんでしょうけど（笑）。

重金　当時の人間が日記のようにして書いているものを見ても、何を食べたというようなことは書いてないんですね。昔の日本人は、あんまり食べ物のことはとやかく言わなかった。

平岩　食べ物のことを言うと、みっともないって言われたんですね。だから、どこそこの何が美味しいだのって言うと、私の父なんか怒りましたもの。そういうはしたないことを言うなって。

重金　江戸の町の人口比は男が圧倒的に多いんですね。町の建設で大量の労働力が地方から流れ込んでくるうえに、参勤交代でいまでいう単身赴任もたくさんいる。ということは、当然、外食産業が発展して、一膳飯屋とか屋台が流行る。そういう意味で、江戸の外食文化をつくったのは男ですよね。東吾さんがコハダの鮨とか立ち食いで食べたりしますけれど、あれ、女の人はできないですよね（笑）。

平岩　女の人の場合ちょっと蓮っ葉な人でしょうね。少なくともおるいさんや香苗さんはやらないわね。できるのはお吉ぐらいですか……。

重金　もっとも戦前、昭和の初めまでは、女の人が外で食事をするということ、ましてや一人で食事するということは、ほとんど考えられないですね。

平岩　ありませんでした。ちょっと変わった人という感じがありました。

重金　小島政二郎さんの小説であるんですけど、昔は、夫婦揃って外出して家を空けるということがなかったらしいんです。だから小島さんが先に出て、ちょっと先の電信柱の陰なんかで待ってる（笑）。すると奥さんがしばらく経ってから一人で出てきて、落ち合ってどっかへ行く。

平岩　江戸でもね、夏は暑くて寝にくいから、女の人たちも夜、外へ出て夕涼みをしてますよね。それで麦湯などを飲んだりしていると男の人が非難したみたいですね。この節《せつ》の女は行儀が悪いって。日中でも、良家の子女がお供も連れずに歩いては、たしなみが悪いなんて書いてありますよね。

重金　なるほど。

平岩　女の人が外でものを食べるというのは、お花見などに行って持ってきたお弁当を開くときぐらいですよね。それですら女はすごく喜んだわけでしょう。第一、当時は法事だって結婚式だって、招かれて行くのは男ばっかりで、夫婦で行くなんてのは戦後ですよ。男天国だったわけです（笑）。

重金　いまちょっと洒落たフランス料理の店はみんな女の人ばかりですね。

平岩　そうですね。日本の芝居小屋も九九パーセントまで女性になってしまった。どこの劇場も男のトイレがどんどん片付けられて女性用に改造されてますよ。

重金　女の人は外食しないということで、外の、特に料亭とか料理屋さんは男のためのもんだったでしょ。レストランだって、昔はね、変な話だけど女性のトイレなんてのはなかったんですよ。お客さん、男だけだから。

平岩　いまでも古い料亭さんで、女性専用トイレのある家は少ないです。だからちゃんと女中さんが、ご用の際はお連れしますからね、という目配せがあります。

重金　なんだか「かわせみ」の話がトイレの話になっちゃいましたが（笑）。でも、今日は平岩さんがご自分のお好きなものを「御宿かわせみ」に使われてるというのがよくわかった（笑）。

平岩　バレましたか（笑）。嫌いなものもあるんですけどね。でも、食べ物にかなり苦労してることは事実なんです。

重金　おるいさんたちがいちばん最初に食べる西洋料理って何になるんでしょう。

平岩　牛なべでしょうか。でも、人間って何でも食べるんですよね。ナマコを最初に食べた人とか、ウニをあの中から引っ張り出して食べた人とか、ほんと不思議でしょうがないですね（笑）。

「御宿かわせみ」ここが知りたい！

——島内景二、平岩弓枝

読者からの多数の声をもとに、著者が様々な質問に答え、長寿シリーズの魅力を大解剖

島内　読み切り短編がしめて二百三十余話。すごいですね。

平岩　ほんと。自分でも驚きです。

島内　今回、読者からの質問を読んで痛感したのは、『御宿かわせみ』がすでに現代の古典となったのではないか、ということでした。私は古典が専門なんですけれども、作品が研究の対象となりますと、年表をつくってみたいとか、系図、それから、地図や建物の復元図をつくってみたいとか、あるいは作品内部の社会的状況、経済状況がその時代と対応しているのかどうかを知りたいとか、そうした方向に研究者がハマッていく。今、『御宿かわせみ』のファンたちはこの作品に対して一人一人が研究者になっているのではないか、そんなことを強く感じたんです。

平岩　大変に光栄なことですね。

島内 ですから、細かい質問がいろいろありましたけど（笑）、多かったのはやはり登場人物たちに関することでしたので、そこから伺っていきたいと思います。
まず、主人公の神林東吾ですが、「東吾の現在の立場をはっきり知りたい」という質問がありました。旗本の次男坊ですから、最初は無役です。それが講武所の教授方、軍艦操練所勤務になった。

平岩 軍艦操練所というのは時期によって組織が変わってきているんです。それで、ご承知のように、『御宿かわせみ』は何年何月と明らかにしない主義で書いてますから、強いて役職を当てれば軍艦役並見習ぐらいですか。昨年（平成十三年）十二月号の「白鷺城の月」のときに、東吾さんが姫路藩に操船術を指導に行っているんです。ですから、現在、操船術のほうでは教官並ぐらいのニュアンスにお考えいただけるといいと思うんです。

島内 勝海舟の抜擢などによって、例えば東吾が幕閣の重要な役割を担うことが可能なんだろうか、という質問もあったのですが。

平岩 正直なところ、あまり出世させたくないんです。幕臣の中で戦闘派、武闘派のほうへ行ってしまうと、ちょっと辛いんですね。東吾さんの戦死なんていうのは、私、あんまりうれしくないので。

島内 読者もそれは一番恐れている（笑）。軍艦操練所に勤務している東吾は、どのくらいの収入（扶持）をもらえたんだろうかという、素朴というか現実的な質問もありました。

平岩　それはかなりもらえると思います。お兄さん（神林通之進）のところが三百石ですよね。そこまではいかないんですが、軍艦役並見習だと二百五十俵高、御役金五十両が支給されていたようです。

島内　「かんばやし」か「かみばやし」か、私もよく発音するときに迷うんですけれども。

平岩　専門家の本では「かみばやし」になっているんです。ただ、普通には「かんばやし」なのかなあとも思うんですが。「かみばやし」では呼びにくいですから……。

るいはどんな顔立ち？

島内　るいが旅籠「かわせみ」を経営している件ですが、軍艦操練所の教官の身分を持っている幕臣の妻が、旅籠を経営していいんでしょうか。

平岩　本来はまずいんですけれども、時が幕末なので、あんまりうるさいことはいわない。多分、上役の人達が粋なんでしょう（笑）。

島内　東吾とるいはいわゆる内縁じゃなくて、正式の夫婦というふうに考えてよろしいわけですね。

平岩　そうですね。今の戸籍のような厳密なものがあるわけではありませんから、要するに正式に祝言を挙げて、双方の親、あるいは縁戚が承認して上役に届ければいいわけです。それで、おるいさんは神林家の籍に入っているので、早い話が「かわせみ」の名義を嘉助にしておいたってかまわない。世の中って、そういう方法はいくらでもあると思うんです。時代が非常におおらかだった、というふうにご理解いただけるといいんですけれども。

島内　はい。私も安心いたしました（笑）。るいの顔かたちに関する質問がありました。先生はあまり目鼻だちについて描写しておられないのですが、先生がるいに対して持っておられるイメージは、例えば女優さんだと誰に近いのでしょう。

平岩　性格の方ははっきりしているんですがね。やさしくって、控え目で、そのくせしっかりもんで、気が強いというね。

顔は、強いていえば八千草薫さんですよ。でなきゃ、新珠三千代さんかな。どっちかだろうと思うんですよ。たぶん最初のうちは八千草さんのイメージで書いていたはずなんです。ところが、新珠さんが舞台でおるいさんをやったんです。そしたら、少しそっちの感じがダブってきまして（笑）。

島内　それから、読者の意見で、るいはみんなに庇われすぎていて自立していない、あまりリアリティーが感じられない、というのがありました、少数ですが。

平岩　いや、そのとおりだと思いますね。るいさんって、私の理想なんですね。こういう立場だったらよかった。だって、家事、労働すべてしなくていいわけでしょう（笑）。

それで、お店のことだって、しっかり者の番頭さんがいてね。
島内　女中頭もいる。
平岩　困ったことが起これば東吾さんがいるし。名取裕子さんだったか、「もうおるいさんは私の理想よ」って言うから、女性のタイプとしてかと思ったら、「あの暮らしが理想よ」って（笑）。確かにそうなんです。
島内　「源氏物語」の藤壺みたいな感じですね。欠点は何一つないけども。
平岩　欠点はあると思います。焼きもちやきですしね。ただし、こういう人は日本の女性の、ある種の典型だったと思うんです。
普段は夫を立てて目立たぬようにするが、いざというときは気丈でがんばり屋になる。日本の女性はこの前の戦争のとき、それまでは夫に頼り、家族の中にあって黙々と自分の仕事をこなしていれば、毎日が無難に明け暮れていた。それが、夫が出征して、これからは自分が中心になって家を切り回さなきゃならないとなったとき、みんな、それこそ死に物狂いになってやりましたよね。で、あの人がこんなことをしたの？　というくらい、買い出しにも行ったし、何でもした。かつて日本の女の人にはそういうものがあったと思うんです。ことに江戸からこの間の戦争までにね。
戦後、日本の女の人ってものすごい変わり方をしている。それまでは、普段は目立たぬがよしとする、自分の主張もあるんだけれども、それを一番先に口にするんじゃなくて、みんなの主張を聞いていて、その中に自分の主張が入っていれば、それでいいし、もし入っていなかったときには婉曲に話をするとか、逆に言わないとか、そういう分別が日本の女性にはあった。今の人から見れば消極的かも知れませんが。

でも、私ね、男性って、そういうほうがいいんじゃないかなあと思うんです。少なくとも昔の日本の男性はそれを好んでいた。で、いざ俺は出陣するぞ、というときに、後顧の憂いなく行けるぐらいの信頼感も亭主は持っていただろうと思うんです。

島内　読者の投書の中に、先生の持っておられる日本の女性の理想像がるいに投影されている、という感想があったんですけれども、それは同時に、男から見た理想像と微妙にミックスしたものだったわけですね。

平岩　少なくとも江戸時代の日本の女のよくあるタイプだった、というのを書きたかったんです。表面的にはおっとりしているけれど、内面は強い。だから、るいさんだって、ある日、とんでもない恋をして駆け落ちしちゃうかもしれない。だって、この人、無鉄砲でしょ(笑)。東吾さんを諦める、諦めると言いながら、結局、結婚しちゃいますもんね。芯強いですよお。

お吉や嘉助に個室はあるの？

島内　るいに関連して、「かわせみ」の平面図というか、間取り図を知りたいと皆さん思っているようです。あるいは周辺にどういう建物が並んでいるか。私も「かわせみのお隣さんは何だったんでしょうか？」という質問を読んで、意表を衝かれました。

平岩　空き地ですね。幕末に外国人が撮った大川端町界隈の写真があるんですが、ほんとに何にも建っていないんですよ。家がぽつん、ぽつんとある感じで。大川に面したあそこのところというのはあんまり家が建て込んでなかったみたいですね。

島内　ああ、そうですか。

平岩　大川の河口近くですから、川が溢れたら大変ですからね。

島内　ほんとに、読者の質問は現実的で面白いんです。例えばお吉と嘉助には個室が与えられているのか、とか、どのぐらいの広さだったんでしょうか、とかいう質問もありまして。

平岩　嘉助さんははっきりしている。帳場の脇に三畳ぐらいの部屋があって、彼はいつも帳場の裏っ側に寝ているんですね。一番入口に近いところ。

それから、お吉さんは女中さんたちと一緒に寝ていると思います。なぜかっていうと、お吉が寝言を言ったりなんかして、周りの女中が慌てたりするという話が出てきますから。女中さんは常時三人ぐらいずついるんですけども、お吉さんを入れて四人が、六畳ぐらいのところに寝ているんじゃないんですかね、あの時代だから。

島内　お吉の性分としては、みんなでガヤガヤ雑魚寝しているほうが楽しいでしょうね。

平岩　たぶんそうでしょうね。あの人、臆病だし（笑）。

島内　お吉と嘉助、さらに女中さんたちは、大体どのくらいサラリーをもらっていたんでしょうか。

平岩 女中のお話のところで書いていますけれど、『御宿かわせみ』が始まったころが年三両か。これは三田村鳶魚《えんぎょ》さんがお書きになったものを参考にしているんです。お吉さんの場合はもうちょっともらっていると思いますよ。嘉助も長いですもんねえ（笑）。

島内 だけど、二人ともいくらくれというタイプじゃないですね（笑）。

平岩 どうもね。

島内 「かわせみ」では、晩ご飯のおかずは何品ぐらいついたんでしょうか。

平岩 大体旅籠の場合は一汁三菜。江戸の旅籠は本来はご飯はつかないんです。なぜかというと、近所に食べ物屋さんがたくさんありましたから。ただ、「かわせみ」はさきほど言ったように場所が場所なので、結構な食べ物屋さんがなかったんですね。そのことで一応、朝ご飯をつけましょうか、というのが始まりで、じゃ、晩飯も頼むよ、というので、割烹旅館的な要素を持ってきたんだというふうに説明しているんですけれども。

島内 東吾が居間で旨《うま》そうに食べているのは、お客さんと同じ物ですか。

平岩 全然違います。一応板前がいますから。東吾さんはいわゆる家庭料理というんですか、お惣菜を食べていると思うんです。ただし、「かわせみ」のお客料理というのも、多少お惣菜的なものが多かったみたいです。というのも、最初のころは板前がいなくて、お吉なんかがつくっていたと思うんですすよ。ですから、客によっては、昔のように煮っころがしが食べたいよ、と言う人もいるだろうし。

島内　さて問題の間取り図なんですが。

平岩　矛盾を指摘する手紙もございましたでしょう?

島内　多少……。

平岩　最初、ちゃんとこさえてあったんですね。ところが、最初に作った創作ノートを紛失したんです。それでごちゃごちゃになっちゃったんですけど、強いて言いますと、地震もありましたし、たまには建て増しもしたし（笑）。

島内　これを機会にまた増築したということにして間取りを……。

平岩　そうね。さりげなく改築をしましょうか。もう古いですから（笑）。

島内　ところで、謎といえば、先生、るいは正式にはいま何歳なんでしょうか。

平岩　何歳なんでしょう（笑）。もうね、完全にアウトなんです。

島内　こうした作品の場合、巡ってきた春の数と作品の中の時間が違うのは当たり前なんですけれども、読者とすると、何歳ぐらいの想定で読んだらよいのか。私はだいたい三十代の半ばぐらいかなあと、漠然と考えているんですけども。

平岩　私自身もそういうふうに考えているんです。なぜかって、四十を超えるのちょっと辛くてね。今の四十なら何ともないんですけど、江戸の四十はねえ。ほんと、悩みの種なんです。だから、子供たちの年が書けなくなっちゃったんですよ。

島内　千春は今月号では、ずいぶんおねえちゃんになっていますけど。

平岩　そうなんですよ。麻太郎さんは五つぐらいで母と別れたんですから、まあ、十年はたっていないでしょうけれども、少なくとも十二、三歳にはなっている可能性があるんですね。千春だって幾つなんです？　ハッハッハ。私のほうが聞きたいくらい。困っているんですよ。七五三もできないしねえ。

島内　お察しいたします。

平岩　もう弱っちゃってね（笑）。

島内　『御宿かわせみ』の人気の秘密は、ひとつには名脇役がそろっていることだと思うんです。ことにお吉の人気がすごく高い。食欲と好奇心が旺盛で、人間臭いからなんだろうと思いますけれども、お吉のすべてを知りたいというすごい読者もありまして。たとえば、るいより幾つぐらい年上というイメージでしょうか。

平岩　少なくとも十歳は上だろうと思うんですね。

島内　るいが子供のときから仕えてますからね。

平岩　庄司家に女中奉公に来て、いっぺん嫁に行っているんですよね。それで、亭主に死なれて帰ってきちゃった。嫁に行ったのが庄司家にいるころで、戻ってきたのも庄司家で。少なくとも八つぐらいは上は上かな。一回りは違わないと思うんですね。

島内　ちょっとずつ中年に差しかかっているというところでしょうかね。

「お吉は出身地はどこでしょうか」という、質問があったんですが、母親の代から庄司家に仕えているわけですよね。お吉の父親というのは今まで出てきたことありましたでしょうか。

平岩　出てきません。お母さんはまだ生きているはずなんです、箱根にいる兄ちゃんのところにね。ですから、お吉の出身地は少なくともあっちですよね。

島内　読者にとってはほんとに、登場人物たちが活きているというか、リアリティーを持っているので、親は？　おじいさんは？　と、系図を知りたくなるんですね。嘉助は江戸の人間ですね。八丁堀の捕方だったわけですが、嘉助のお父さんもやっぱり捕方だったんでしょうね。

平岩　恐らく代々でしょうね、こういうのは。要するに庄司家の若党ですよね。それで嫁さんもらって、子供が生まれて、女房は死んじゃった。娘は木綿問屋に嫁に行ってますよね。

島内　孫がいて。

平岩　そうです。あの子（お三代）だって、もう大きくなりましたよね。うーん、心配になってくる。あっちこっち大変（笑）。

島内　一月号の「初春夢づくし」で、るいの従姉妹の娘さんが出てきて、読者は喜んだようです。

平岩　あれは突然、思い出したんじゃなくて、るいの系図を書いた紙きれが、普段使わない辞書の中から出てきたんです。この間、たまたま辞書を開けたらばパラリと出てきたんで、おっ、使える（笑）。

島内　私もるいの母の名が「利久」と書いてあったんで、今まで出てきたかなあと思って、読み返したんですけど。

平岩　出てきてません、たぶん。

島内　最近、舞台が広がったぶん、るい、お吉、嘉助といったファミリーの原点の登場回数が減ってきたように思います。それで彼らの親族などが出てくると、読者としてはホッとするということなんだろうと思います。

人気者というと、「長寿庵」の長助がお吉に次ぐ人気を誇っています。岡本綺堂の『半七捕物帳』は、幕末の岡っ引が明治維新まで生き延びて、こんな捕り物をしたという昔話をするスタイルだったんですが、長助さんも無事に維新を越して、自分はかつてこういう旦那たちのもとで働いたのだと昔話をするような未来が来るんでしょうか。

平岩　長助さんは大丈夫だろうと思うんです。あの人、比較的運がいい人ですからね。女房はしっかりしているし。

麻太郎と千春は将来……

島内　今月号（平成十四年二月号）でも活躍した「かわせみ」ファミリーの少年少女たち。彼らの人気も出てきました。私がちょっと不思議に思ったのは、源太郎や花世が東吾に甘えていたわりには、千春が両親にあまり甘えていない。それは千春がしっかりやさんなのか、それとも東吾たちの育児方針なのでしょうか。

平岩　千春ってね、要するに第二のおるいさんなんですよ、私の頭の中では。だから、子供でもやっぱり控え目なんですよ。自分のことを言うのもなんですけど、私の子供のころって、今のように親に甘えませんでした。親の気持ちを類推しちゃうんですね。麻太郎は第二の東吾さんです。源太郎は第二の源三郎さん。となると、どうしても千春は第二のおるいさん。で、年よりちょっと思慮深い。一人っ子だから内気なのでしょうね、たぶん。

島内　麻太郎と千春ですけれども、二人は異母兄妹なのに、まだ兄妹ということが分からないわけですよね。

平岩　ええ。これ、ヤバイですね。

島内　それは読者もハラハラしているんですけども。

平岩　私もどうしようと思っているんです（笑）。「横浜慕情」で、横浜の横浜弁天にお参りに行ったときに、お吉さんが、源太郎と花世を一緒にお参りさせないように気を遣っているんですよね。好き合った男女が一緒にお参りすると、弁天様が焼餅をやいて仲を裂く、って信じられていましたから。つまり源太郎と花世はハッピーエンドになる可能性はあるんですね。そうすると、今度はどうしたって麻太郎と千春という線が出てくるんです。でも、それは壊さなきゃいけない。問題はどう壊すか。

島内　それから、その子供たちが明治になって新しい時代を生きていく、そういう物語を読みたいという声が多数ありました。

平岩　そうですね。仮に次の世代の物語を書くとすると、明治ですよね。そのときに親たちがみんな姿を消しているという状況なのか、それとも誰か生き残っているのか。私はある時期は源三郎さんの死ぬところはここ、というのを決めてあったはずなんです。だけどね、殺せなくなっちゃったんです（笑）。だいたい、私は人を殺すの下手なんですよ。

島内　「源氏物語」では、人の噂話の中で、あの方が亡くなって何年というふうな形で、人が亡くなったことを漠然と知らされますけれども。先生は本当にやさしいんですね。

平岩　私はいい人はいつまでも生きていてほしい、なんて思うもんですから。ただ、そればっかり言っているわけにいきませんからね、まあ、ある時期、老人から死なせていかなきゃなんないんですけどね。

島内　最近、とみに登場回数が増えているのが麻生宗太郎ですね。畝源三郎よりも宗太郎のほうの人気が高いというのが、初期からのファンである私から見ると、ちょっと残念でもあります。宗太郎は颯爽としていて、要領もいいし、まあ、人気が高いのも仕方ないかなあと思うんですけれども。

平岩　名医ですしね。それと、最初に書いているんですけど、人柄、顔がね、東吾さんと似ているんですよね。それで、どこが違うかって言やあ、宗太郎さんのほうが大人なんです。東吾さんよりもやっぱり苦労していて、その分、人間の奥が深いわけでしょう。人気が出るのは当たり前なんですよ。愛妻家だし。

島内　宗太郎には私も男の嫉妬を感じます（笑）。ところで、登場人物たちに先生が個人的に親しい方のイメージを投影させたということはあるんでしょうか。

平岩　意識しないで出てきていることはあると思うんですね。例えば麻生源右衛門なんかは、ある時期の父かもしれないんですよ。朝、木剣を振るっていたり、それから、孫に目がなかったりとか。うちの父のところは旗本の家でしたから、父の気風みたいなのを多少意識したかな、という気はします。

島内　先生のお父上は旗本の流れを汲んでおられるんですか。

平岩　父は矢島家から平岩家へ養子に来たんですけれども、矢島家というのは三河以来の旗本なんです。それでね、将軍の乳母を出す旗本なんですよ。四代将軍家綱の乳母さんが矢島の局と言うんです。

島内　女が重要な役割を担っている家なんですね。

平岩　そう。女はいいんです（笑）。

島内　じゃ、先生は明治政府とか、薩長政府の高官に対して、江戸っ子としての反発心のようなものはお持ちですか。

平岩　反発はないですけどね、やっぱり自分には直参の家の血が入っているせいかと意識したのは、西郷隆盛とか大久保利通とか、明治の元勲を書こうという気がしないんですねえ。

島内　そういう先生だから、大川端での人情話が展開していくという、作品の必然性があったわけですね。

平岩　ええ。やっぱり江戸を書きたかったのは、たぶんそういうことですね。

派手な事件から人間の面白さへ

島内　登場人物たちから作品全体に関する読者の質問のほうに話題を変えさせていただきますと、ここまで長寿シリーズになった秘密は何なのか。例えば、一話読み切りの各話のアイデアはどのようなところから発想されるのでしょうか。

平岩　読者は資料のようなものをご想像になるでしょうねえ。例えば「江戸の事件簿」なんていうのがさぞかし役に立つだろうと思って、私はごっそり買い集めてせっせと読んだんですけど、やっぱり辻褄が合わないんです、江戸の事件って。

島内　あ、そうなんですか。

平岩　読んだときは、これ、面白い事件だと思うわけですね。でも書き出すと、なんか微妙にね、しっくりしないというか、合点がいかなくなる。ですから、事件より、例えば江戸の野菜は何があったかとか、そういうのを読んでいるほうが役に立ちます。年中行事、それから、名所図会なんか読んでいると、意外とヒントが出るんですね。

島内　『御宿かわせみ』は最初から純粋のミステリーとか、捕物帳ではなくて、人情を中心に据えてきましたよね。

平岩 ええ。ほんとは殺人事件とか、何か一つの事件をテーマにして書こうと思ったんです。でも、長くなってきてつくづく思ったことは、いくら江戸時代だって、そう泥棒はいないだろうし、そうすごい人殺しはないだろう、そしたら、やっぱり人間を書くよりしょうがないなと思ったんですよ。人間のささやかな喜びとか、小さな悲しみみたいなものを書いていくぶんには、それはもういくらでも材料がありますからね。

年齢もあるんですね。一番最初に書いたのは三十代だと思うんですけど、三十代、四十代のときと、五十、六十では、人間に対する関心のあり方が違ってきたんですね。最初のうちはやっぱり事件の面白さとか、それで人間がどうなるとかっていうことに興味があったんですけど、今、人間の気持ちがこうなったから、この事件が起こったんだというふうな、逆なたどり方をするほうが自然になったんです。それを私は恩師の長谷川伸先生から習ったはずなんです。思い出すのにだいぶ時間がかかった。若いうちはできないんですよ。やっぱり自分の人生が狭いし、どうしても派手なものに目が行ってしまうんですね。

島内 そういえば、最近、東吾が剣を振るう場面が少ない。読者は動と静で言うと、最近、静を感じているみたいですけども。

平岩 そうなんです。それはね、私、自分でもちょっと反省しているところがあって、ときには動も必要だなと思っています。だから、たまに東吾さんもバッサリ斬ります(笑)、これからは。

島内　それから、侃々諤々《かんかんがくがく》、読者が自分の意見を書いていましたのが、東吾の隠し子問題です。るいが可哀相という意見というか、悲鳴でしょうかね（笑）、何通もありましてね。

平岩　今の女の人は許せない、と思うでしょうね。

島内　るいが秘密を知るか、知らないかは先生の胸ひとつなんですが、仮に知ったとき、るいという人はどうするでしょうか。

平岩　逆上するでしょうね。ただし、この時代の女ですから、のの字を書いての辛抱でしょう。東吾さんのセリフの中にありましたね。「るいが唇をかんで我慢するような思いはさせたくない」と。でも、たぶん我慢するんですよね、この時代の人は。それに東吾さんにこれだけ惚れちゃっていたら、しょうがないでしょうし、救いは相手の女性がもうこの世にいないということですね。

島内　そうですね。でも、ほんと、「源氏物語」にしても、不義の子が天皇に就くのはけしからん、という道徳的な批判が一千年間続いたわけで、やっぱり名作の宿命かな、という気もします。

平岩　私はね、人生に枷《かせ》をかけたかったんです。そう絵に描いたようにお幸せ、お幸せっていうのは、人間、あり得ないと思うんですよね。何か枷がかかって、それで成長していくんだと思うし。

島内　るいの枷であると同時に、東吾の枷でもあるわけですね。

平岩　それから、既にもう子供たちの枷ですね。さらに、それに連座した人々は全部責任を持たなきゃならないわけです。通之進さんはかなりの覚悟を持って、この子を手元へ置いたでしょうからね。そのへんのところがだんだん人間の膨らみになっていけばいいなあ、というふうに思っているんですがねえ。

島内　人間の心の成熟を語る大きなストーリーが、一話読み切りの捕物帳の背後に流れています。これが、短編が集まって長編を成していくという、絶妙の作品世界を生んでいくんですね。

平岩　ごく自然なんです、私としては。毎回、どんな人を書こうかな、と、まずゲストから始まっているんですが、『御宿かわせみ』というのは先程おっしゃったように、レギュラー陣がそろっているんですね。だから、新しいゲストで、こういう人間のこういう性格の人を書きたいなと思えば、レギュラーの誰が絡めば一番都合がいいのか、すぐに出てくるんですね。それがこの作品が長く続く理由だと、私、思うんです。作家が困りながらも、それから、時にはほんとに頭が真っ白になりながらも書いてしまうっていうのは、つまり、そういうレギュラーがきちんと勢ぞろいしてくれたからでね。最初の段階はそれがなかったですから、先程、事件が華やかな云々とか言いましたけれども、そうでもしなきゃもたないということですね。今は人間が動くようになったんですよ。

島内　先生が一生懸命動かさなくても勝手に動くようになったわけですね。

平岩　おっしゃるとおりで、随分、助かっています。

島内　それから読者がもっとも案じているのが、どうも明治維新がすぐそこまで近づいてきているらしいということ。

平岩　もう来ているんですよ。

島内　「幕府が瓦解するまで、あと何年ぐらい時間的余裕があるんでしょうか」という質問があったんですが。

平岩　ほんとに困っているんです。普通の捕物帳スタイルで書くなら、こういう困り方はしなかったはずですね。この作品の特徴であるところの人間が芯になって、一つの大河の流れをつくったときに、当然作家が背負わなきゃならないものに、今、私が直面しているということですよね。ところが、先程から言っているように、人を殺すのは下手だし、年を計算するのはなお下手だしという人間は、シリアスに一人一人を消して、そして、新しい人間の成長へ持っていくのには、相当の度胸がいるということですね。果たしてこのまま『御宿かわせみ』を続けていていいのか、それとも、読者の中に夢を残しておいたまま、そっとやめてしまうほうがいいのか、それはまさに私の中でも、ここ二、三年、考えてきていることの一つなんです。

島内　仮に明治を迎えるとして、登場人物たちは荒波を越えていけるのでしょうか。

平岩　新しい時代に一番順応しやすいのは宗太郎さんですよね、医者だから。「かわせみ」の場合も大丈夫だと思うんです。大変なのはやっぱり通之進さん、源三郎さん。維新に際して、江戸の奉行所は見事に明け渡したんです。江戸の人間はこんなにもいさぎよく自分の始末をして幕引きをしたんだ、というのを書きたいですけどねえ。『御宿かわせみ』でそれをやるのも、これまた度胸のいることで。

島内 去年の六月号でしたか、「猫一匹」で、真犯人が明治政府になった後で見つかります。そこに、「東吾や源三郎は知るところではなかった」という文章があります。私の心の中が激しく痛んだんですけれども（笑）。

平岩 そうなんです。一番死んじゃいそうなのはやっぱり畝さんなんですよ。私はもう心配で、心配でしょうがないんだけど。源三郎さんというのはやっぱり江戸の侍だから。

島内 不器用ですからね。

平岩 そうすると、東吾さんだって危ないでしょう。

島内 読者が『御宿かわせみ』に対して求めているものは幾つかあるんでしょうけれども、幕末の文化が成熟した時代に、大川の辺《ほとり》に理想的なファミリーがあって、彼らが確かに生きていたという事実を嚙みしめたいんだと思います。その幸福な江戸の人々の暮らしを、永遠の若者・神林東吾と、その妻・るいという、若者のイメージで捉えたいのかなあ、という気がしたんですけども。

平岩 そうですね。だから、それを残すためには、ご維新までやらないでやめることなんです。

島内 でも、読者はその先を読みたい。彼らがいかに困難に向かっていくのか、というところも読みたがっているんですね。

平岩　子供たちがいい具合に出てきているんで、書けないことはないと思うんですが、**島内**　読者はやっぱり登場人物と一緒に一つの過激な谷間を越えなきゃなりませんから、その谷間を好む人と好まない人があると思うし、私がもし読者だったら、あまり好まないだろうと思うんです。だから、いかにして幕を引くかでしょうね。

島内　なんか悲しくなってきてしまったんですけども（笑）。

平岩　今、私の周りにはまだまだ日本人らしいと思える人がたくさんいるけれども、いつまで続くか。限界でこれを書いたな、という気がします。

島内　ああ、ギリギリのところで。

平岩　私の年齢から言っても、それから日本の移り変わりから言っても、『御宿かわせみ』というのはどたんばのところで江戸を書けた、という感じなんだろうとは思うんですね。

島内　紫式部は、光源氏の人生を書いてきて、人生を終えて亡くなるところは書かずに、代わって物語は子孫の『宇治十帖』に入っていく。『御宿かわせみ』は、今、ちょうどそのところに差しかかっているんじゃないかなと（笑）。

平岩　ハハハ。

島内　だから、『御宿かわせみ』も、まだまだ残り三分の一があるんじゃないかなと思って、期待しているんです。

平岩　紫式部のような才女じゃないですからねえ。

島内　読者のハガキを通読して痛いほどわかったのは、読者が先生の作品を自分の人生の一部としているということです。作者の後ろにぴったりとついていて、俺はこうなってほしい、私はこういうふうになってほしいと、みんながいろんなことを言いつつ、作者がどうするか、読者は固唾《かたず》をのんで見守っている。そういう読者の期待を、作者がある時には受け入れ、ある時には過酷に切り捨て、新しい物語をつくっていく。その山場にいま自分が読者として立ち会っているというのは幸福なことです。これからの『御宿かわせみ』の展開を一読者として、私も楽しみにしております。

平岩　ありがとうございます。もうどうしていいか、という感じですけれど（笑）。

「かわせみ」ひとくちコラム

「御宿かわせみ」のホームページがあった！

パソコンの普及が著しい昨今、「御宿かわせみ」にも、ファンが作ったホームページがある。ここでは二つご紹介しよう。

一つめは「御宿かわせみの世界」(http://www.ne.jp/asahi/on-yado/kawasemi/)。平成十年に開設された老舗格で、充実度はナンバーワンだ。

メニューは「『かわせみ』を取り巻く人々」や、「『御宿かわせみ』TV化対決」「『かわせみ』を彩る花々」「お気に入り名場面」「『御宿かわせみ』家族模様」など、盛りだくさん。

面白いところでは、「かわせみ」のある場面を描いたイラストをみて作品の題名をあてるもの（紫陽花さんによる）や、名言スクリーンセーバーなどがあり、様々な角度から「御宿かわせみ」の世界が楽しめるようになっている。

管理人さんは会社勤めをされている奥様で、「御宿かわせみ」は二十年来愛読されているとのこと。

「かわせみ長屋」(http://www.geocities.co.jp/Bookend-Kenji/8129/index.html) の管理人は二十代の専業主婦・けいさん。

高校生の頃からの愛読者で、もうすでに十年以上「かわせみ」の世界に親しんできたとか。

二〇〇一年一月にスタートしたが、「かわせみの食べ物」や「かわせみのお客様」「かわせみの職人」「神林家の風景」などの他に「おみくじ」や管理人さんが「かわせみ」を舞台に書いた小説「長屋裏」などのコンテンツを用意して、訪れる「かわせみ」ファンを待っている。

私の作家修業時代

（インタビュー）

聞き手・豊田健次

戸川幸夫氏との出会いに始まり、故長谷川伸氏が主宰する「新鷹会」に入門。二十七歳にして直木賞を受賞する。
テレビドラマでの活躍から「御宿かわせみ」を書きはじめるまで、自らの歩みを振り返った、貴重なインタビュー

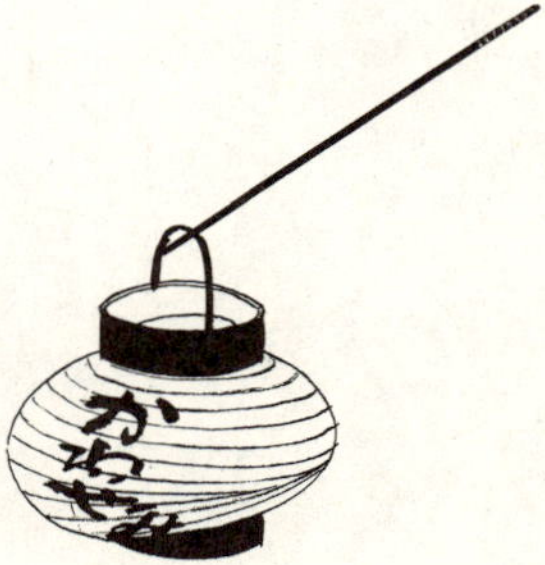

――ちょうど、いまから三十八年前の昨日、七月二十一日に行われた直木賞選考会で平岩さんは直木賞を受賞されたわけです（注・インタビューは平成九年七月二十二日に行われた）。エッセイなどにもお書きになっていらっしゃいますが、平岩さんはその日が選考会の当日であることをご存じなかったとか。

平岩　本当に呑気な話で恥ずかしいんですけど、まったく知らなかったんです。当時はいまと違ってマスコミもあまり騒ぎ立てませんし、恩師の長谷川伸先生も少しでも期待する心があると落ちたときにつらい思いをするからと、選考会の日時もあえて教えてくださらなかったんです。私自身も候補にしてもらえたことだけで手放しで喜んで、それですべてが済んでしまったような気になっていましたし。そもそも自分が候補になっているということさえ知らなくて、長谷川先生からうかがったくらいだったんですから。

――当時は、候補になったという通知もなかったんですね。

平岩　もう、そんなのは全然ですよ。直木賞の選考委員をなさっていた村上元三先生が長谷川先生に、私が候補になっているということを伝えてくださったんです。その後にたまたま、ダッコちゃんを知らないとおっしゃる長谷川先生に見せてあげようと、私がダッコちゃんを抱えて先生のお宅に伺ったんですね。そうしたら先生が「君は呑気だねえ」とおっしゃって。そして奥様が「お祝いです」とおっしゃって、真珠の帯留を下さったんです。「直木賞の候補になったそうだから、良かったね」って。

もちろん受賞は無理だろうけど、初めて候補になったんだからお祝いをあげましょう、ということですね。だから私の気持ちの中では、もう十分という感じだったんです。ですから当日も、何も知らないままに、いつものように深川に踊りの稽古に出かけていたんです。ドナルド・ダックかなんかのマンガのプリントの入ったブラウスにサンダル履きですよ。受賞が決まってたんですけど、迎えにきてくださった文藝春秋の方に、「すいません、こんな格好で来ちゃって、これで行ってもいいでしょうか」って聞いたんです。そうしたらその方が「はァ、そうですか……」って。

——絶句しちゃった（笑）。

平岩　踊りのお師匠さんの奥様が、「これを着て行きなさい」って、あのころ流行《はや》っていた紗《しゃ》の無地の着物を貸してくださったんです。

お稽古の後だから髪はくしゃくしゃだし、お化粧はしてないしで、まだ文春での記者会見では困らなかったんですが、その後、フジテレビに連れていかれて、「スター千一夜」というトーク番組に出させられることになっていて、そうしたらメークさんが「この頭どうしようもないわ。どうする？」って言っているのが聞こえて来て……。ほんとうに長い長い一日でしたね（笑）。

——いまとくらべると、牧歌的な時代と言うんでしょうか。

平岩　村上先生は選考委員でしたけど、気づかってくださって、何もおっしゃらなかったし、投票のときも棄権なさったそうです。妹弟子なのでまずいからと。選考会のあいだも最後の最後まで、私のことを知っているともおっしゃらなかった。
それで吉川英治先生の、「この作家は男だろう」っていう話があったみたいです。授賞式のあとで吉川先生にお目にかかったときに、「和田芳恵という人も男でしょう。だから平岩弓枝も男かと思ったんだよ」とおっしゃってましたけど、それもちょっとおかしな感じで、いまにして思えば、吉川先生があとからつくられた話だったのかもしれませんけど……。

——吉川先生がそう思われたというのは、やはり作風から受けた印象なんでしょうね。

平岩　たぶんそうでしょうね。なにせ色気もなにもないでしょう。だから男かなと思われたんでしょう。

——受賞作の「鏨師《たがねし》」ですが、むかし読んだときはさほど感じなかったんですが、いま読み返してみると、二十六歳で書いたにしては実に無駄な所がなく、構成がかっちりとまとまっていて、感心します。そのあたりが逆に女性的ではないと……。

平岩　影響を受けたのが、新鷹会《しんようかい》のあの大先輩たちでしょう。みなさん五十代、六十代ですからね。おまけに若い女性は一人もいないんですから。だから、あれはまだ自分の文体ではなかったんです。

——その新鷹会ですが、長谷川伸さんが主宰されていた勉強会で、村上元三、山岡荘八、山手樹一郎、戸川幸夫、池波正太郎さんなど、錚々《そうそう》たる作家たちを輩出しました。そうしたなかで、平岩さんは先輩たちのお書きになったものを読んで、学ばれたわけですね。

平岩　そんなに読んでいたわけではないんですが、毎月一回、十五日に芝の二本榎にある長谷川先生のお宅で勉強会があって、先輩たちが書いてきた作品を朗読する。それをみんなで論評するので、頭ではわかりますよね。ああ、こういう無駄なことを書いちゃいけないんだとか、あんまり調べたとおりに書いてはいけないんだとか。そういう基礎的なことは、毎月出席しているうちに身についてはきますね。

——朗読は、どなたかが指名されてやるわけですか。

平岩　いいえ、そうではなくて、勉強会の当日に、作品を書いてきた人が登録するんです。席につくとまず名簿が置いてあって、それに名前を書くのですが、作品を持ってきた人は名前の上に題名と枚数を書くんです。それで名簿の頭から、要するに早く来て登録した人から読んでいくわけです。

——提出された作品はすべて読まれるのですか。当然、時間的な制約もあるから、途中で打切りということもありますよね。

平岩　時間が来てしまったときは翌月延ばしになって、一応は全部読まれます。だけど、私が入ったころは、もう作品を書いてくる人が限られてましたね。池波さんは何度も読まれたかな。新田次郎さんは、長谷川先生に何か訊《き》いていらしたのを覚えています。

——朗読が終わると、すぐにその作品をめぐって侃々諤々《かんかんがくがく》の批評がくりひろげられるわけですね。

平岩　そうです。もう袋叩きという感じでしたね、男の人たちは。

――コワいですねえ（笑）。長谷川先生は黙って聞いてらっしゃるんですか。意見をさしはさんだり、感想を述べたりなさらずに。

平岩　みんなが発言している時は黙って聞いてらして、ラストに一言おっしゃるんです。みんなの論評がそのとおりなら、そのとおりだとおっしゃるし、まちがっているときは、「みんなまちがった論評をしているよ」とおっしゃるときもありました。

私が一回目に読ませてもらったときは、袋叩きにしたらこの子は書けなくなる、と長谷川先生がたぶんお思いになったんでしょう。いきなり先生が「これは未熟であるけれども、素直に書いている」とおっしゃったんです。それでみなさんなにも言えなくなって。いまでも伊東（昌輝氏。新鷹会会員で、現在は平岩氏のご主人）が言うんです。「お前はずるい、あのとき、先生があぁ言われたら、だれもなにも言えない」って。

逆に、伊東が「タブー」という香水を使った、いまで言うミステリーを書いて、わりと褒められたことがあったんですが、そのときに私が何の気なしに、「その香水はいま流行だからどこででも売っているので、その匂いだけで犯人を探すのは無理だ」って言っちゃったんです。それで、その作品は却下されてしまって、彼はすごく怒ってね（笑）。「お前のおかげで俺は」って言ってましたけど（笑）。

――勉強会で好評を得た作品が、機関誌である「大衆文芸」に載るわけですね。

平岩　そういうことです。

――それは必ずしも一篇と決まっているわけではなくて……。

平岩　「大衆文芸」はよいとなったらぜんぶ載せてくれるんです。長谷川先生をはじめ、何人かの方が連載をされているほかは、勉強会で褒められるまではいかなくとも、まあいいんじゃないかと先生がおっしゃると載せていただけるわけです。ただ、「鏨師」は勉強会で読まれてから掲載されたんじゃないんです。読んでからだと間に合わなかったのね。

――それはやはり、直木賞を狙うために、ということですか。

平岩　いいえ、そういうことではなくて。たまたまそのときに、「大衆文芸」に載る予定だった原稿が載らないことになって、島さん（長谷川氏の義弟）から電話があって、「埋草にして悪いんだけど、あの預かっていた作品、おやじ（長谷川氏）に読んでもらって、許可を得たから載せるよ」と言われたんです。私としては埋草でもなんでも載せてもらえれば嬉しいですからね。まだ活字になったのは二つ目か三つ目ですから。長谷川先生がどうお考えだったかはわかりませんが、少なくとも島さんの段階では、直木賞がどうのといったことはまったくありませんでした。

戸川幸夫先生との出会い

――「鏨師」の枚数は……。

平岩　五十枚です。あのころ私は五十枚で書く訓練をさせられていたんですよ。長谷川先生のご指導で、五十枚を目安にして、二、三枚の差はいいけれど、できれば五十枚ぴったりに入れろとおっしゃった。だから私の初期の作品はみんな五十枚なんです。ただ、本にするときに「そこをもっと書かなきゃ駄目だよ」と注意されて、書き足したものはありますけど、原則としては五十枚です。

——五十枚を朗読するというと、どれくらい時間がかかるんでしょうか。

平岩　私は読むのが速いほうでしたから、四十分はかかりませんでしたね。三十分くらいで読んでいたと思います。でも、なかには遅い人もいて、小一時間もかかるときもありました。もっとも、ほかの人たちは私と違って、五十枚という制限はなかったから、九十枚書いてくる人も、百枚書いてくる人もいたわけです。

——朗読を聞いた後、すぐに的確な批評をするのは、かなり難しいことだと思うんですが。

平岩　私の場合はいきなりそれですから、そういうものだと思っていましたけど、いま思うと大変なことですよね。

——そういったやり方は、長谷川先生における小説と芝居との関係というようなことがあったんでしょうか。

平岩　それはあったのかもしれません。

朗読だから読むのがうまいやつは得だ、とかいう話になって、ある先輩からは「お前さんはなんだか知らないけど、声を張り上げて小学校の生徒じゃあるまいし」とか散々言われて（笑）。たしかに、つっかえつっかえ、しかも地方のなまりが入ったりすると、ちょっとしんどいなっていうか、正直なところよくわからないなんてこともありました。

――エッセイなどにもお書きになっておられますが、新鷹会に入られたいきさつというのは、戸川先生のご推挽《すいばん》があってということでしたね。

平岩　そうです。一緒に踊りを習っていたお友だちのお父様が勧銀の頭取をなさっていて、その方と戸川先生が親友だったんです。

大学を出たころに彼女と「あなた、神主の養子をもらうの？」なんて話になって、私はそのときに踊りの先生になりたいって言ったんですよ。そうしたら彼女が、「あなた、踊りの先生は向いてない」って言うの。「何で」って聞いたら、「あなたは踊りを覚えるのは早いけど、忘れるのも早いからダメだ」って（笑）。

じゃあどうしようということで、私は女子大（日本女子大）で演劇部にいたもので、なにか書く仕事がしたいなァというようなことを、遠慮がちに言ったんです。そうしたら彼女は、ストレートにお父様に、親友が書く仕事をしたいらしいんだけど、なにかいい仕事はないかって聞いちゃったんです。

ところがお父様は、銀行の頭取ですから、書く仕事といったってどういうものだかわからない。それで戸川先生に、「娘の友だちがなにか書くことをやってるようなんで、ちょっと面倒見てやってくれないかね」という話になったんです。

――当時の戸川先生はもう「高安犬物語《こうやすいぬ》」で直木賞を受賞されていた……。

平岩　受賞の翌年だったんです。だから勧銀の頭取も、「たしかあいつなんとかいう賞を取ったよ」という調子で。戸川先生も何だかよくわからないけれど、まあしょうがないということで、先生の勤めていらした毎日新聞社へ、友人と二人で行ったわけです。まあそれで、先生は青山にお住まいで、私は代々木八幡ですから、「近所だから日曜日にでも遊びにきて、犬の散歩でもしてくださいよ」って、そんなところから始まったんです。

そんなこんなで先生のお宅に通うようになって、先生も犬の散歩ばかりさせておくわけにもいかないからと、取材に連れて歩いてくださったんです。あのころの大きなテープレコーダーを持って、ついていったんですけど、先生の取材はすごいんですよ。今から考えてもすごくうまい。私はいまだに取材下手で、肝心なところで遠慮して引いちゃったりするんですけれど、先生はちゃんと突っ込んで話を聞いてらして。それが原稿になったのを、今度は「読んでごらん」と渡されるわけですから、書く手順が全部わかって、これは面白いと思いましたね。

――そのときは、平岩さんご自身はお書きにはならなかったんですか。

平岩　先生からは何か書きなさいと言われてはいたんですが、なかなか書けなくて、しょうがないから「清書してごらん」って先生の原稿を渡されたんですけど、清書したら、元の先生の字のほうがきれいなの（笑）。

先生の原稿と私が清書したものと二つ並べて置いておいたら、雑誌社の人が先生の書かれたほうをもってっちゃった。先生、お腹抱えて笑ってらっしゃいました。

そのうち、戸川先生から何か書きなさいと宿題を出されたんです。「何を書いていいかわかりません」って言ったら、ちょうど売春防止法案が施行されるところだったから、「あれを取材に行きなさい」とおっしゃったんです。

——そうすると、昭和三十二年のことですか。

平岩　突然、売春なんて言われても、わかるわけがないですよね（笑）。たまたま、女子大のお友だちのお母様が神近市子さんの後援者だったんです。ここから取りつけばいいのかと思って紹介してもらって、議員会館で会って話を聞かせてもらったんです。神近さんも可哀相だと思ったらしく、山のように資料をくださいました。

家に帰って資料を読んで考えたら、やっぱり吉原というところに行ってみなくては駄目だということになって、また友人がくっついて、二人で吉原に行ったんですよ。そこで変な黒眼鏡のお兄ちゃんにつかまって、「ねえちゃん、商売するならあと半年はできるよ」なんて言われて、びっくりして逃げ帰ってきた覚えがあります（笑）。

何とか書いて先生にお見せしたんですが、何べん書いても「うん」とおっしゃらない。そりゃそうですよ、売春そのものも、お女郎さんのこともまるでわかってない。歌舞伎に出てくる吉原くらいしか知らないんですから。

だから私の小説では、女郎屋に上がってお客がご馳走を食べたり、お女郎さんが三味線を弾いたりするわけですよ。そうすると先生は困っちゃうわけね。「ぼくもよくは知らないけれど、こういうところは三味線も弾かないし、飯も食わないよ」っておっしゃるの（笑）。「じゃあ、お酒は飲みますか？」って聞くと、「ビールくらいは飲むかもしれないけど、お酒もあんまり飲まないなァ」とかなんとか。「お茶が出るんだよ、いきなりお茶が」とおっしゃったりして。

そばで奥様がふき出したくらいで、実に間が抜けていました。セックスを売るということはわかってたんだけど、その段取りがわからなかったのね。先生はあのとき九回書き直しをさせたっておっしゃるんだけど、たしかにそれぐらいは書き直してます。

――それが「女の法案」ですか。

平岩　そうです。けっして良い作品じゃないんですよ。だってわかってないんだから、どう直したってねえ。その書き直しをしているうちに、「つんぼ」を書いたんです。で、それを先生のところに持っていったら、「あ、こっちのほうがいいや」とおっしゃって、「大衆文芸」に載せてくださったんです、別扱いで。

そうしたら戸川先生が、「どうやら書き方がわかってきたみたいだね。ぼくは動物作家だし、君は動物作家になるとは思わないから、ぼくの最も尊敬する先生のところに連れていくよ」とおっしゃって、それで長谷川先生のところに連れていってくださったんです。

だから小説の書き方の基礎の基礎を、戸川先生はほんとうに苦労して教えてくださったんですね。取材の仕方から、書き直すときはどこを書き直すのかとか、理解しないままに書いてはいけないとか、あのころはそんなことさえわからなかったんですから。

自らを貶《おとし》める作品は書くな

——平岩さんはそれまでに長谷川先生の作品というのは、お読みになってたんですか。

平岩　長谷川先生の「紅蝙蝠《べにこうもり》」という作品は、すごくヒットした新聞小説で、私もずっと後ですが読んでいました。子供心にも、なんて面白いんだろうと思った記憶があります。それから先生のお芝居はかなり見てましたね。学生時代から歌舞伎や芝居が好きでしたから。

——「一本刀土俵入」とか「瞼の母」、「関の弥太ッぺ」とか、歌舞伎になるものもあれば、村芝居でやるものもあり……（笑）。

平岩　そうそう、ドサ廻りでもやる。先生はドサ廻りの役者からは脚本料をお取りにならなかったんですよ。

——しかし、これくらいみんなに親しまれている作品を書いた作家というのもいないはずなんですが、そのわりに文壇的評価は低すぎるように思えますが。

平岩　低かったと思いますね。だから菊池寛賞をお受けになったときには、とても喜ばれたんです。まして受賞作が『日本捕虜志』でしょう。あれは大変な労作で、戦争中にはその草稿を持って防空壕にお入りになったというくらい大切にされていたそうですから。

あの当時は、大衆文学は非常に低く見られていて、やっぱり長谷川先生も吉川英治先生も、あるいは大佛次郎先生もそうですけど、みなさん大衆文学のレベルを上げようと、一所懸命にやってらした時期だったんですね。長谷川先生もそういう意識は非常に強く持っていらして、自らを貶《おとし》めるような作品を書くことだけはしてはいけないと、よくおっしゃってました。

――長谷川先生にまつわるエピソードで、二つほど大変感銘を受けたものがありまして、一つは電車のなかで折口信夫さんが笑っている長谷川先生のところにつかつかとやってこられて……。

平岩　そうそう。あれはとても有名な話なんです。

――『日本捕虜志』、大変いいお仕事をなさってくださった」と、深々と頭を下げて挨拶された。

平岩　「折口信夫と申します」とおっしゃってね。その話はうちの父も折口先生から直接うかがっているんです。折口先生は父に、「偶然電車の中でお目にかかって……」とおっしゃったそうです。でもそのときはまだ娘が長谷川先生のところに通っているわけではなかったので、あとになって別な感懐を持ったみたいです。

——それから、もう一つのエピソードは、平岩さんがはじめて講演をなさるというときの、長谷川さんの親心。一緒に講演なさる尾崎一雄さんに電話して、私の弟子の平岩君が、とおっしゃったかどうかはわかりませんけど……。

平岩　「ぼくと文学を学んでいる、いちばん若い友だちです」とおっしゃったそうです。

——ああ、そういう言い方ですか。なるほど。

平岩　尾崎先生が「ぼくはこの言葉に感動しました」って。

長谷川先生は、「初めての講演なので、あなたの持ち時間に食い込んでしまう場合もあるかもしれない、短く終わってしまうかもしれない。大変ご迷惑をおかけすると思うので、どうかよろしくお願いします。ご無礼の点はお許しください」とおっしゃったそうなんです。私は尾崎先生からうかがって、初めて知ったんです。

私はそれまで、講演はいやだから、みんな断っていたんです。ところが長谷川先生が、「人様の前でものを話すというのは、自分自身に大変役に立つから、行かなくてはいけないよ」とおっしゃって、もう最初は神奈川県立図書館でやると決めていらした。私は飛び上がっちゃって、どうしようかしらと思ったんですけど、先輩方が私よりもっとあわてて……（笑）。

村上先生や山岡先生や戸川先生が、「原稿を書け」だとか、「客は人間だと思ったらあがるから瓜かカボチャだと思え」とか、「着物を着ていけ」、「ちゃんと美容院へ行け」、「足が痛くなるから踵《かかと》の高い草履は履くな」と、まるで幼稚園の入園式ですよ（笑）。

――講演が終わったあとで、こんどは尾崎先生が長谷川先生に電話をされて、平岩君は大丈夫だったと伝えられたとか。

平岩　「まあ、及第点をやってください」とおっしゃったそうです。「ちゃんと一所懸命にやったし、お客の反応も悪くなかったから、一回目にしては上出来です。帰りに寄られると思うから、褒めてやってください」と。

――ほんとうに、いい時代の文士同士の交流という感じがしますね。

平岩　ほのぼのするようないい時代でした。尾崎先生は、「五分で降りてきてもちっとも心配しなくていい。私は慣れてるから、あなたの分を話すのも何でもないし、三十分しか残らなければ、それでちゃんと話ができる。好きなようにしてらっしゃい」とおっしゃって、しかも「心配だろうから」とずっと舞台の袖にいてくださったの。

――そのときは、草稿をつくられた……。

平岩　最初は書こうかと思ったんです。でも、少し原稿を書きはじめていたら、長谷川先生から「何を話すのか」とお電話があったんです。「いま、一所懸命原稿を書いているんです」と言ったら、「そんなもの書いちゃいけない。書いたら、これから原稿がないと講演ができなくなる。自分はなぜ小説を書こうと思ったのか、それを話しなさい」と言われました。「文学の話なんかまちがってもしようと思うなよ。できっこないんだから」とおっしゃって、「ハイッ」って感じです（笑）。

――新鷹会で長谷川先生は、どんな指導をなさったんですか。創作上の注意など、具体的になさったんでしょうか。

平岩　史実に関してはビシッとおっしゃいましたね。「その時代にそんなことはない」とか、「そんなものの言い方はない」とか。それと、「現代語で書いてかまわないが、単語には気をつけるように」ともおっしゃいました。簡単にいえば、「結婚式とは書かずに祝言と書け」といったことですね。

それと、その時代についてはは調べられるだけ調べること、といつもおっしゃってました。「一〇〇パーセント調べろ。もしかしたら二〇〇パーセント調べなくてはならないかもしれない。ただ、どれだけ調べても、残すのは二〇パーセントでいいんだ」と。でも、いまだに私、二〇パーセントだけ残すって、なかなかできないですね。

いま「文藝春秋」で連載している「妖怪」は、鳥居耀蔵の話ですが、これも調べるのが大変なんです。天保の改革とか、上知令とか、徹底的に調べたうえで、それを捨てて書く。五〇パーセント捨てるときは、背中がぞくぞくしてくるんです。それを思いきって八〇パーセント捨てたつもりなんですが、後で活字になってくると、五〇パーセントしか捨てられていない。長谷川先生が「捨てすぎると思うぐらいでちょうどいいんだよ」とおっしゃったことが、いまになってようやくわかったような気がします。

もうひとつ忘れられないのは、長谷川先生は、取材に行くときは絶対にメモを取ってはいけないとおっしゃったんです。「どうするんですか」って伺ったら、「覚えるんだ」って。「素人さんから話を聞いているときに、メモを取ったら緊張して言うべきことも言わなくなっちゃうよ」って。

「先生、数字なんかで覚えられなかったらどうするんですか」と言ったら、「頭の中で必死になって覚えておいて、さようならって別れたらパッと書くんだ」っておっしゃるんですけど、そんなこといまだにできませんよ（笑）。

長谷川先生は「都新聞」にいらしたころ、そういう訓練をなさってるんですね。私、最初はほんとうにまいっちゃったんですけど、いまではいい訓練をしたと思っています。

テレビが広げた世界

――直木賞受賞当時の話にもどりますが、受賞作の「鼈師」は、現代小説ですね。

平岩　そうなんです。雰囲気はちょっと時代っぽいけれど、現代小説。

――「御宿かわせみ」のファンの人たちには、平岩さんは捕物帳、あるいは時代小説の作家のイメージがあるかもしれませんが、実は直木賞受賞後、むしろ現代小説が主流でした。それともうひとつ、「肝っ玉かあさん」、「女と味噌汁」など、テレビとの長い付き合いがありましたね。

平岩　テレビの脚本を最初に書いたのは、ＴＢＳの東芝日曜劇場でした。ＴＢＳでは、

「肝っ玉かあさん」や「ありがとう」が有名になりましたから、印象が強烈なんですが、本数が一番多いのは、フジテレビの平岩弓枝ドラマシリーズ。あれは休みなしに九年続きましたからね。その次に多いのがＮＨＫなんです。

　ＮＨＫは、単発のドラマから始まって、銀河ドラマ、大河ドラマと、一通り全部やりました。銀河ドラマって、私が書いたのが最初なんですよ。それに土曜ドラマもそう。その当時、新しい番組をつくると、一本目は必ず私のところにくるんです。この間、ＮＨＫのプロデューサーだった近藤晋さんが笑いながら教えてくれたんですけど、最初に番組をつくる時は、それが一時間なのか三十分なのか、時間が決まらないうちに仕事を進めなければならないんですって。「それを何とかしてくれそうなのは、当時は平岩さんしかいなかった」って。つまり五分や十分はどうにでもなるという、とても便利なライターだったんです（笑）。

——テレビ局が平岩さんに目をつけたのは、やはり長谷川門下ということがあったからでしょうか。

平岩　ええ。「あなたの先生は芝居の神様なんだから、このぐらいのことはできるでしょう」なんて言われてね（笑）。

　テレビもまだ草分け時代ですから、いまほどテレビ的ではなくて、どちらかというと芝居に近かったのかもしれません。だから私でも書けたんですね。

　長谷川先生からのおすすめもあったんです。「君の小説は、台詞が生きていない。

台詞が下手だ」というのが先生の口癖でした。

「ほんとうは芝居をやるとわかるんだけど、ペイペイの作家に商業演劇からいきなり注文なんかこない。テレビはいま草分けだから、きっと注文がくるだろう。そうしたら断らないでやってごらん」といってくださったんです。

やっているうちにコツもわかってくるし、どんどん面白くなって、ついに正蔵さんの人情噺まで書いたんです。

――落語家の林家正蔵……。

平岩　そう。「笠と赤い風車」という題の色物なんです。正蔵さんが演じて芸術祭奨励賞を取って、私もご機嫌でいたら長谷川先生に叱られたんです。「そこまでやっちゃいけない」って。ですから、私はそれっきり色物は書いてません。

――小説家がテレビで活躍すると、とかく反撥を受けたりすることもあるようですが。

平岩　「文学賞が欲しいんだったら、テレビをすぐにやめなさい」ということは、いったい何人から、何べん言われたかわかりません。

私、ある女流作家の逆鱗《げきりん》に触れたことがあるんです。「あなたに賞をあげたいと思ったって、これじゃああげられません」って。

――若くして完成された作品でデビューされた平岩さんにとって、テレビの仕事は、作品の幅を広げるうえでもよかったのではないでしょうか。

平岩　それは役に立ってますね。私は神社の一人娘として生まれたでしょう。この環境じゃ、何も知りゃしませんよ。テレビに出ていって、初めていろんなことを知ったんです。

長谷川先生のところは、みんなずっと年上の先輩ばかりですから、ガードはしてくれても、突き放すといったことはあまりありません。でも、テレビは、視聴率というものもありますし、ある意味で容赦なく評価される。ですから、いい経験だったと思います。

もうひとつ、いまですからはっきり言えますけど、知名度でもうけましたね。「へえー、あのテレビを書いた人が、こんな小説書いてるのか」って、ファンがついてくださった。それで私はずいぶん救われたと思います。でなきゃ、私なんかとっくのとうにツブれてるわよ（笑）。

物書きって、作品が読者に認められると、それに力を得て書き続けていくというところがあるでしょう。書いていれば、そのうちに勉強するし、書けば書くだけのことはあって悟りますよね。そうやって「かわせみ」にたどり着くことができたのかなあ、と思うんです。ですから、ほんとうにラッキーだったと思います。

着物を着ている現代小説

――そもそも平岩さんが、時代小説を書くようになったのは、どういうきっかけだったんですか。

平岩　実は、平岩家には、父がくる前に、養子に入っていた方がいらしたんです。この方は結核で早く亡くなられて、その後、父が養子に入ったんですね。この方は、大変な文学好きでいらしたようで、わが家には「日本古典全集」といった本がたくさん残っていたんです。江戸文学もずいぶんありました。

若いころ、私はこの家にいて、読む本がなかったんですね。親たちは何を考えてたのか、私に子供が読むような本を買ってくれない。学校の教科書を読んでいればいいと思ったらしいんです。小さいときは、講談社の絵本だけ。そこから先は本を読むなという感じですね。

ですから、「日本古典全集」をひっくりかえして読むしかしょうがないんです。「万葉集」とか「古事記」、「日本書紀」とか。まあ「宇津保物語」とか「落窪物語」は、読んだにしても、難しくてよくわからない。ところが江戸になると、比較的わかりやすいんですよね。ですから、江戸時代の洒落本とか黄表紙といったものを、ずいぶん読んだんですよ。

それになんたって、先生が時代小説の雄《ゆう》のような方ですから、勉強はしました。先輩たちが勉強しているのを見てれば、いやでも勉強しなくちゃという気になりますよね。ですから、時代小説というものを書けないことはないし、時代小説嫌いでもない。

――初めての本格的時代小説が「御宿かわせみ」……。

平岩　「かわせみ」の前にも、多少書いています。ただ、本格的な時代物というと、「かわせみ」が最初の試みですね。

　ただ、私の時代小説というのは、ぜんぶ現代小説なんですよ。着物を着ている現代小説。

　もちろん長谷川先生のもとで、「時代考証はきちんとやりなさい」と教えられてきましたから、舞台装置とか小道具、衣裳などはちゃんと着せてるわけです。だけど、そこで生きている人間たちは、けっして時代人ではない。現代人なんです。「御宿かわせみ」でも、会話はすべて現代語ですね。ただ、時代小説として読んでも、ひどい抵抗はない。そのぎりぎりのところで現代にしているわけですね。

　江戸の本は読んでますから、その時代、女でも「おれ」とか「わっちゃあ」といった言い方をするということは知っているんです。それからそのころの捕物帳や時代物といえば、「拙者」とか「身共」といった言葉づかいが多かったですね。でも、私はあまり好きじゃないんです。そういう言葉づかいには抵抗があるんですね。「かわせみ」は女が主人公でしょう。おるいさんが「おらあ」って言ったら、おかしいでしょう（笑）。

　つまり長谷川先生のおっしゃった線さえ守っていれば、現代語でひとつの人間像をつくってもいいんじゃないか。それで、できるかぎりのことをやってみよう、と思って始めたのが「かわせみ」なんです。

できるかぎりのところから始めて、その可能性がだんだんひろがっちゃったんですね。読者がそれを許容してくれたということもあって、これでいけるという自信が、自分で少しずつついていったんです。

――「かわせみ」は、最初からシリーズで書こうというおつもりでしたか。

平岩　一年ぐらいやってもらえませんか、という注文だったんです。ですから、こんなに長々と書く気はさらさらなかったの（笑）。

そのころ、私はグランドホテル形式というのに凝ってたんですね。ホテルに出入りするさまざまの人たちが織りなすドラマや人生を書きたいな、と。その舞台を「かわせみ」という江戸の宿にしたんです。

――宿の名前を「かわせみ」になさったのは、何か理由があったんでしょうか。

平岩　あれは偶然なの。たまたま題名に迷っていたときに、テレビでかわせみの映像を映してたんです。私、子供のころ、父と奥多摩でかわせみを見たことがあるんです。ちょうど川に飛びこんで、お魚をとっているところを。それを思い出していたら、テレビが「いまは奥多摩でもめったに見られないが、江戸時代は隅田川の縁でもかわせみが飛んだ」というようなコメントを流したんです。「ああ、これだ」と思って。

かわせみって、とっても美しい鳥で、凜《りん》としているでしょう。それがおるいさんと重なって……。ですから、あれはヒロインのイメージなんです。

――一回ごとに扱われる事件が、人情の機微に触れる奥深いもので、しかも、それがちっとも古くない。むしろ現代に通ずるような事件が多くあります。それを毎回どうやって思いつかれるのか。新聞に載る事件などもヒントになっているのか、と不思議に思っていました。

平岩　たしかに、現代の事件がヒントになっていることもあります。でも、そういった事件は、すぐに書くとナマになってしまうから、なるたけ時間をおいて、最低一年は後にするようにしています。

それと、私がいちばんよく読むのは、江戸時代の事件簿なんです。何年何月何日にどこそこで何が起こったという記録があるんですよ。その中に、ときどき面白い事件があるんですね。

一家が狼に襲われて、亭主は逃げちゃったけど、女房と娘が奮戦して退治しちゃったとか。不思議な事件もあるのね。武士が女房連れで護国寺にお参りに行ったら、無頼漢が襲ってきて、女房を引きずり込んで強姦しちゃった。亭主は刀を取られて、なすすべがなく、そのことでお咎めを受けたとか。

そのままは書けませんよ。でも、なぜそんなことが起こったのか、考えていると、「ああ、これはかわせみに使えるな」ってものがたまにあるんです。

魅力あふれる脇役たち

――「御宿かわせみ」の第一回「初春《はる》の客」は、昭和四十八年に「小説サンデー毎日」に発表されたんですね。長崎から江戸に連れてこられた黒人の奴隷と、彼を愛した女の話で、テーマも実に斬新な感じがしました。

平岩　暗いお話でしょう。「かわせみ」はこんな暗い話から始まったのかって感じでしょう。

実は当時、私、長崎の犯科帳を読んでいたんですね。そのなかに出ていた、ハンフウキという黒人の奴隷の話からヒントを得たんです。

――「小説サンデー毎日」は昭和五十二年に休刊になり、しばらく中断があった後、五十七年から「オール讀物」で再開されます。いまから考えると不思議ですが、あれだけの連載が宙に浮いていて、私のところに平岩さんからお話があって「オール」で再開させていただいたんですが。

平岩　私、なんとなく未練があったんだろうと思うんです。きっとおるいさんが好きになって、このまま終わらせるわけにいかないという気になったんでしょうね。

――おるいさんと東吾を中心にした「かわせみ」の登場人物たち、そのキャラクターの設定が、成功の一因でもありますね。

平岩　最初はるいと東吾、東吾の兄の通之進夫婦と、同心の畝源三郎。それだけだったんですよ。そうそう、あとは「かわせみ」の使用人のお吉と嘉助。

これがみんなだんだん個性的になってきて、歳月がたつとともに、結婚したりして増えてきたんですね。「かわせみ」は、このファミリーのおかげでもってるんですよ。

　それと、自分で言うのもおかしいんですが、麻生宗太郎を入れてきたのはよかったですね。医者がひとりいるのは、便利でしたよ（笑）。それに、私はあの人の人柄、好きですね。いちばん好きかもしれない。もうひとり、長寿庵の長助さんも好きなの。

　いちばん、私に似ているのは、お吉（笑）。お吉が出てくると、生き生きしちゃって、もういやになっちゃうの。娘に、「お吉って、お母さんそっくりだね」って言われるまで気がつかなかったんですけど（笑）。

——通之進は東吾よりひとまわり以上も年上で、いわば親代りであり、弟を温かく見守っている。実に気持ちのいい兄弟ですが、女の一人っ子だった平岩さんが、どうしてこんな兄弟を設定したのか不思議でした。

平岩　身近にこの兄弟のモデルになった親戚がいたんですね。もう亡くなりましたけど、長男が優秀で、次男は出来が悪くて暴れん坊という兄弟がいたんです。次男のほうは、うちの父が引き取って剣道を教えていました。

　東吾さんも、江戸時代としたらずいぶんはみ出し者ですものね。おるいさんとあんな関係をだらだらつづけるなんて、お兄ちゃんが理解あったからできたことですものね。

——そうした魅力ある登場人物の一人一人が、さまざまな運命をたどる。結婚したり、子供が生まれたり、あるいは生まれなかったり。それはどうやって決めていくんですか。

平岩　いつもいつも迷うんですよ。迷いながら楽しんでいる（笑）。でも、最初のころは、主人公たちは年をとらなかったんですね。だから子供ができないといっても、どうってことはなかったんです。ところが間違いのもとは、源三郎さんのところに、源太郎が生まれたこと（笑）。あれで読者は、みんなちゃんと一年で一つ年をとっていくんだと勘定を始めちゃった。

私が源太郎のことなど忘れてたのに、ファンレターが来たんです。「源太郎さんがお誕生日を迎えましたね」って。私、それに気がついたときはショックでしたね。月刊誌の連載で、春夏秋冬、季節感を入れるようにして書いていますから、読者の方にとっては、一年一年と過ぎていく。ある方から、「おるいさんは、どう考えても四十になっているんじゃないですか」と聞かれて、「なってないことになってますから、よろしくお願いします。三十そこそこぐらいのとこで止めてくださいね」って（笑）。

――読者の方たちのほうが、のめりこんでいる……。

平岩　ある時、東吾さんが府中に行く話を書いたんですね。そうしたら、お手紙が来て、「八丁堀から府中まで自分で歩いてみたが、ずっと早くついた。東吾の歩き方は遅すぎる」っておっしゃるんです。

でもね、現代の道は江戸の時代とは違うのね。甲州街道は当時は中野のほうをまわっていたんです。新宿の宿場も、いまの駅とは違って、伊勢丹の向こう、花園神社あたりにありました。淀橋の手前には山があって、それを迂回して淀橋、熊野神社のところに出てくる。

途中も山坂があったり、道も悪いし……。ですから、まんざら私の計算もそうまちがっているわけじゃないんだけど、実際に歩いてくださる人がいるのは、困っちゃうわけです（笑）。

江戸の町は、私、自分でもずいぶん歩いたんですよ。八丁堀から大川端、そこから方月館のある狸穴《まみあな》とか。歩いてみると、頭で考えるよりずっと早いんですね。たとえば、ここ代々木八幡から赤坂見附のあたりまでだと、せいぜい三十分かそこらで行っちゃうんです。

――東吾がるいと祝言をあげたときは、たいへんな反響があったそうですね。

平岩　あのときは、すごかったんです。うちに祝電がきちゃった。郵便屋さんが、どなたが結婚なさったんですかって（笑）。読者の方はほんとうにありがたいな、と思いました。

ですから、なかなかレギュラーを殺せないんですね。麻生の源右衛門さんなんか、もういいお年ですから、困ってしまうんですね。旗本の家ですから、源右衛門さんが亡くなると、宗太郎さんが出仕しなきゃならないでしょう。いろいろと苦労してるんです（笑）。

私、昔から人を殺すのは下手なんです。ＮＨＫで「旅路」というドラマを書いた時、一回目から出ていた加東大介さん扮する駅長さんを、予定では途中で死んでもらうつもりでいたんですよ。ところが、だんだん人気が出てきて、殺すに殺せない。加東さんがある日ね、「平岩さん、一所懸命指折って数えたら、ぼく、百歳越えてるよ」って大笑い（笑）。

「かわせみ」はこれから――

――平岩さんはいま、「御宿かわせみ」の他に、「妖怪　鳥居甲斐守忠耀」を「文藝春秋」に、「風よ　ヴェトナム」を「小説新潮」に連載されています。かたや天保の改革を真っ正面から描いた歴史小説、かたや現代のヴェトナムを舞台にした男女の物語。ひと月に三つ、しかも作風もまったく違うものを同時にお書きになっている。その幅の広さとエネルギーには驚かされます。

平岩　幅が広いと言ってくださると嬉しいんですけど、似た作品を一緒に書いているど、どうしても似ちゃうんですよ。ですから、なるたけ違うものを書くようにしてるんです。

――「妖怪」では、これまで歴史上の極悪人とされてきた鳥居耀蔵を、まったく違う視点から描こうとしていますね。

平岩　私、とても変な人間で、書きはじめるときはいつも「なぜ」から始まるんですよ。こんども、なぜ鳥居耀蔵ってこんなに悪者なのかなあ、と思って。というのは、これまでの小説に出てくる鳥居耀蔵は、あたまから悪人ということになっていて、「なぜ悪いのか」ということが書いてないんですね。

たまたま、鳥居耀蔵の子孫の方がやはり神職をなさってまして、その御子息が、預けとなった四国の丸亀で耀蔵が綴った日記を活字になさったんです。「妖怪」を書く時、その御遺族の方から本物のほうを見せていただいたのですが、小さな帳面に、米粒のような字でびっしり書いてある。それを読んでびっくりしたんですが、鳥居耀蔵という人は、大変な学者なんですね。林大学頭の御曹司なんだから、当たり前といえば当たり前ですけど、漢詩も上手だし、花鳥風月を描いた絵もあって、これがまたうまいんです。

鳥居耀蔵は、流謫《るたく》時代がいちばん人間的なんですね。丸亀で医者になって、何百人もの人を治療する。そんな人間が極悪人なんて、なんだか信じられなくて、それで調べていったんです。

長谷川先生が昔、「悪人を悪人ではないと書くのは、とても難しい仕事だよ」っておっしゃったことがあるんですが、恩師の言葉をつくづく思いかえしますね。やはり、世の中の、マスコミの声にねじ伏せられたものを、そのねじれを元に戻してやるという作業は、気が遠くなるぐらいしんどいですね。

——最近も、官僚のあり方をめぐっていろんな事件がありました。「妖怪」は、そんな現代とも通じる問題がずいぶんあるように思います。

平岩　そっくりですよ。鳥居耀蔵自身が、「官僚は必要悪だ」というようなことを書いているんですね。今の時代をみても、そう思いますね。

鳥居は、天保の改革という大改革の中で悪者にされ、おまけに改革そのものが途中でつぶれちゃったのね。

——「かわせみ」も、黒船がきたりして、時代は幕末の激動期を迎えようとしています。これからどんな展開があるのか、楽しみですが……。

平岩　維新になると、源三郎さんはやはり上野の山で戦うかもしれないでしょう。さっきも言ったように、私、このファミリーの人を死なせるわけにはいかないんです。ですから困ってるんですけどね(笑)。

実は文明開化のころ、築地居留地に、ホテルが一つあったんですね。築地ホテルといって、場所は「かわせみ」の近くなんです。いっそ維新をとばして、そのホテルを舞台に、おるいさんや東吾の子供、源太郎や花世といった次の世代の人たちが出てくるお話にしようかしら、なんて冗談で話してたことがあるんですよ。

ここだけの話ですけど、東吾には、麻太郎というおるいさんの知らない隠し子がいましたね。この男の子が、いずれまた登場して、重要な役を果たします。その布石はいま着々と打ってますから、どういう展開になるか楽しみにしていてくださいね。

「かわせみ」ひとくちコラム

本当にある温泉宿「御宿かわせみ」訪問記

福島県の北部、福島市からほど近い飯坂温泉にその宿はある。

飯坂は日本武尊が疲れを癒したといわれる歴史の古い温泉郷で、奥州三名湯の一つに数えられている。

その中心から少し離れた、飯坂街道沿いの、摺上川と小川との合流地点に位置する三千坪の敷地に自然林庭園が広がり、そこに数奇屋造りの堂々たる建物が佇んでいる。川を流れる水音と、遠くに望む吾妻連峰が、いやがうえにも旅情をかき立ててくれる。

部屋数は全部で十二室。内訳は、離れ特別室が三つ、離れ特室が三つ、二階高級室が六つとなっている。

離れの六室には古代檜風呂と露天風呂がついていて、二階の部屋も全室が古代檜風呂つきだ。

もちろんそのほかに大浴場と露天風呂もあり、別棟になった茶室もある。

また、同じ敷地内に古いガラス工芸品を展示した、「飯坂明治大正ガラス美術館」も併設されている。

先代のご主人の加藤英宏さんが「御宿かわせみ」の愛読者で、平岩弓枝さんのご承諾も得て、平成八年に開業した。敷地も部屋も温泉も、じつに広々としていて、作品中の、小ぢんまりとした「かわせみ」に比べると、ずいぶんと立派な印象である。

「御宿かわせみ」の所在地は福島市翡翠の里二の十四。

電話は〇二四（五四三）一一一一。

ホームページも開設している。

（http://www.hisuinosato.com）

「御宿かわせみ」愛読者エッセイ

「『御宿かわせみ』と同じ時代に生きたかった」
「夫婦揃って、『御宿かわせみ』が手離せません」
全国の愛読者の声を代弁する「かわせみ」讃歌、十二編

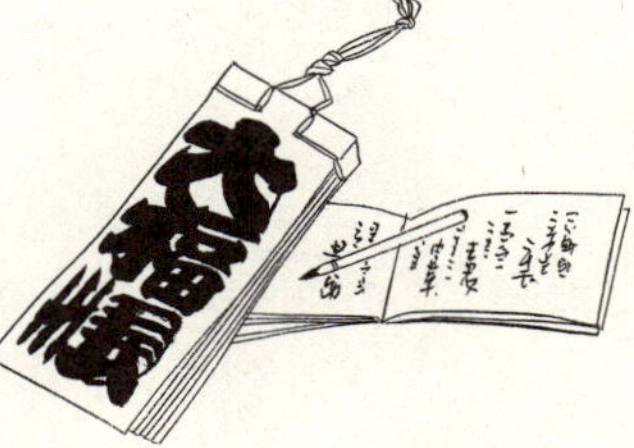

三つ橋見つけた

脇田千春（鹿児島県）

私が、「御宿かわせみ」を知ったのはNHKのテレビ放送でした。自分がいくつだったのかよく覚えていないのですが、毎週欠かさず見ていました。十八、九のとき、本屋で「御宿かわせみ」の文庫本をみつけて買って帰り、一気に読んでしまい、それ以来本屋に「御宿かわせみ」が並ぶことを楽しみにしています。

子供の頃から、推理小説が好きでしたから、最初は「御宿かわせみ」を読む時も、謎解きを楽しみながら読んでいました。しかし、回を重ねるごとに江戸時代の人達の暮しの細々とした描写が気になりだしたのです。たとえば、夏になるとるいの部屋の障子が簾戸になる。その部屋で東吾が陶枕に頭をのせてうとうとする。冬には友禅の炬燵布団が登場し、火鉢には鉄瓶が温かそうな湯気をたてている。

そして二年程前から、新たな楽しみが増えたのです。江戸切絵図を傍らに置いて、私も登場人物達と一緒に江戸の町を歩くようになりました。東吾と源三郎が事件現場へ行くために永代橋を渡れば私も一緒に渡り、るいが茶の木稲荷へ参詣すれば私もお吉とどもお供する。その時の私は髪を結い上げて、着物を着ているのです。

こんなふうに「御宿かわせみ」を楽しむようになり、前に読んだものをまた改めて読み返しています。

当然、話はどれも大好きなのですが、その話のなかにちりばめられている、るいや東吾の日常の風景にも、とても心引かれるのです。

そのるいの部屋には、いつ、東吾が来てもいいように炬燵があたたまっていて、男二人がすわり込むのと同時に、お吉が徳利と酒の肴を運んでくる。長火鉢にはちんちん湯が沸いていて、酒の燗《かん》の出来る前に、るいが熱い茶を一杯、香ばしい匂いと一緒にさし出した。

（「恋ふたたび」）

この一節が、私は大好きです。そのときの源三郎の言葉のように東吾がかわせみに入り浸りなのも無理のない話です。私が男であったとしても、いつもこんなふうに温かく迎えてくれる女性のもとへは、通いたくなります。るいやかわせみの人達がどんなに東吾が好きなのかということもわかります。

江戸切絵図を見ながら読むことで再確認出来た話に「三つ橋渡った」があります。幼い頃、盗賊にさらわれた娘がさらわれる以前の記憶として覚えていたのが家の近くにあった「ぐるりと三つ橋を渡って、元に戻れる橋」だったのです。それが築地の本願寺の近くにある、数馬橋、軽子橋、備前橋の三つだということは文章を読めばわかるのですが、実際に切絵図を見て確認したとき、「これだ」とほくそ笑んでしまいました。「私もみつけたぞ」といった気分だったのです。

「御宿かわせみ」のお陰で日本の伝統や風習が大切に思えてきたことも確かです。節分の豆まきでは、自分の歳の数だけ豆を拾って食べるとその年は無病息災に暮らせるということ。冬至の日の柚子湯、年の市に出掛け正月用の注連縄《しめなわ》や飾海老、ゆずり葉、裏白、橙《だいだい》を揃えること。だんだん日本人の生活の中からそういうものが忘れ去られていくような気がします。昔からのそういったものは、せめて自分の生活のなかにだけでも残していきたいと思うようになったのです。

このように「御宿かわせみ」を読むたびに江戸時代に陶酔していく私は、とうとう最近では「自分は生まれてくる時代を間違えた」と思うようになりました。思わず「江戸時代に生まれれば良かった」とポツリと呟いたところ、それを聞いていた友人がひとこと、「江戸時代に生まれていたら刀で斬られるんだよ」。どうして、江戸時代＝「刀で斬られる」という発想が出てくるのか私には理解できませんが、辻斬りにあっても悔いはないから大川端の御宿かわせみの女将に、とは言いません、せめて女中として生まれ戻ってみたい私なのです。

姉妹共通の友

大西愛子（香川県）

京都へ帰る妹を見送って来て、玄関の鍵を開ける。もう慣れたつもりなのにわびしい。

机の上に「御宿かわせみ」が置いてあった。

ストーブをつけ、ポットのお湯を急須に注ぐ。お茶の香りで一息入れてその本を開いた。そして読みふけった。人恋しい思いが満たされた。何年も前のことである。

お互い最愛の家族を看病し見送って独身になった姉妹である。週一回京都と香川で同時にＮＨＫの「御宿かわせみ」を観た。独りじゃないとほっとする一時でもあった。

月刊の「オール讀物」が待ち遠しく、ＴＶでは物足りなくて、単行本を読むうちに二十巻が揃った。どの話にも人情があふれ出て、登場人物は正義の味方。勇み足、勇み肌の事件も面白く、最後は男が頼りになるのもいい。

情景描写がこまやかで、道順まで覚えて主人公と一緒に動き回れるのも楽しみである。特に「白萩屋敷の月」の兄弟と香月の絡みは、私には一生共にしていきたい思いがある。あれは私が二十歳の時、憧れていた二歳上の兄が戦死した。お前にぴったりだと喜んでくれた小学校教員の姿も見てもらえなかった。男はみんな嫌いになった。

そんな頃、同僚が南方から復員して来た。兄と同じ部隊で二十四歳。面影が兄に似ている。全身に電気が走った。「只今帰りました」の声が更に私を震わせた。兄の声だ。堰《せき》を切った想いが体中を駆け巡った。そして私たちは熱く燃え結婚したのである。

「東吾の脳裡に白い萩の花が散乱し……」

「夜が明けるまで、東吾を求めてやまなかった香月……」

「白萩屋敷の月」を何度も読み返し、ここまでくると目を閉じて夫との過ぎし濃密な日々を思い出す。そして、七十五歳の老婆が時空を越えて若い女に戻れるのである。「お前は一人でもやって行ける」と私に暗示を与えておいて、高熱のため心不全で逝ってしまった夫である。家族の心配をよそに一人で夫を看取った部屋で、そのベッドで、身も心も引き裂かれる苦しみと痛みで泣きあかした一年だった。七回忌が過ぎた今でも、この想いは募り膨らみ生々しくよみがえる。

だから、私には通之進の想いが分かる。香月の通之進を恋い焦がれる気持ちが分かるのである。私は今でも夫に恋をしている。この切ない想いを満たしてくれるのが「御宿かわせみ」である。

「ねえ、一緒に暮らそうか」何年も行き来して来た妹に声をかけた。自分ではひとりでしっかり生きているつもりでも、周りには心配をかけている。妹は弟夫婦に、私は娘たちに話をして決行した。

わが家の離れに京都の部屋が移転して来た。先ず主治医に妹のカルテを見せ診察を依頼し薬をもらう。月一回の通院で落ち着いた。

二〇〇〇年の正月にこれからは老々介護で頑張ろうと決意を新たにした二婆である。二人とも「御宿かわせみ」が離せない共通の友である。

元警察官として

佐藤六郎（福島県）

私が「オール讀物」を愛読するようになってからすでに三十年以上になっています。現在は、年間購読をさせて戴いていますので、本屋さんの「売り切れです」という言葉を聞かずに済むことは、本当に有り難いことです。私が「オール讀物」を好きになった原因を考えてみますと、池波正太郎先生の「鬼平犯科帳」と平岩弓枝先生の「御宿かわせみ」を読みたいばかりに、近所の本屋さんに購読の予約をしたものでした。当時、私は現職の警察官として県警察本部や各警察署に勤務中であり、短い期間で県内を転勤して歩いておりましたので、馴染んだ本屋さんとすぐにお別れすることになるので度々困ってしまうことがありました。

「御宿かわせみ」は、小説の中身がいつもすばらしく、まるで自分が扱っている事件ではなかったかと考えさせられることも少なくなかったように思います。

江戸時代の司法手続きのことは詳しく存じませんが、「御宿かわせみ」に登場する方々は、本当に庶民の味方であり、弱い者や社会的に恵まれない立場の方々を温かく見守る内容が多く、いつも感激して読ませて戴きました。犯罪という社会悪と戦うのは、与力の弟という立場だけではなかなか出来ないことですが、そこに自ら飛び込んで解決してしまう〝神林東吾〟と幼馴染みの親友〝畝源三郎〟。二人の呼吸の合った行動や、夫を信頼し心から愛する〝るい夫人〟。また揃いも揃って善良で勤勉、しかも勤め先の主人にあくまでも忠実な〝嘉助〟〝お吉〟や蕎麦屋であり岡っ引でもある〝長助〟等々、頼もしい人ばかり登場してまいります。

特に、神林東吾は、奉行所の役人でもないのに持って生まれた特性を生かし、親友の畝源三郎に協力して犯罪捜査活動に積極的に参加する等、本来の職業を超越した労を惜しまぬ活躍には、本当に頭が下がります。

現在のように交通機関が発達した時代はともかく、総て歩くことが基本の時代に東に西に駆けずり回り決して金銭的な計算をせず、事件の片付けのみを考えて行動し、状況によっては命がけの場面も決して少なくないのにそれを自慢するとか関係者に恩に着せるような行動とは一切無縁というのが、何とも快い限りです。

私は、職業柄、毎日のように血なまぐさい事件と対決しておりましたが、犯罪人といえども必ずしも本当の悪党は少ないものです。私は、警察の仕事としては、一方にかたよらず会計とか総務とかは別として殆どの係を経験しましたので、仕事を進める上でどれだけ参考になったか知れません。

特に警部になりたてのとき、初めて刑事課長を命じられて捜査の全責任を負わされたときは、〝神林東吾〟になったつもりで勉強したものです。当時のことを思い出す度に、よくぞ失敗せず責任を果たせたものだと思ったりしています。

私は、警察官生活三十八年で退職しましたが、その間警察署長や県警察本部の課長職、さらには警察官の養成を担当する警察学校長等を歴任しました。職員に対する訓話の中でも「御宿かわせみ」で扱われた問題を幾度となく取り上げ、活用させて戴きました。大多数の警察職員が、使命感に燃え、法と社会秩序の維持のために私生活を犠牲にしてまで職務に精励しておる一方で、最近、各地において警察官の不祥事が報道されていますが、現職を離れたとはいえ、本当に腹だたしい限りです。国民の皆さんの憤慨も当然とおもいます。謹厳実直を旨とし、社会正義の実現を目指して頑張ってきた者としては、誠に残念でなりません。

「かわせみ」おたく

鈴木利華子（愛知県）

私と「御宿かわせみ」の出合いは、NHK名作ドラマシリーズの再放送、つまり本ではなくテレビの中でした。小野寺昭、真野響子演じる東吾とるいに魅せられ、欠かすことなく録画し何度も見返すうちに原作へ、というパターンです。このテレビでは嘉助役に花沢徳衛、お吉が結城美栄子、神林通之進は田村高廣、香苗が河内桃子という何とも絶妙な配役である上に、原作にごく忠実な内容だったので、スムーズに原作に入っていくことができたのです。

思えばかつてシャーロック・ホームズに夢中になった時もジェレミー・ブレット扮するホームズをテレビで見てからなので、ミーハーだというそしりは免れないところでしょう。しかし、おかげで今や〝自称〟シャロキアンのはしくれ。同じ経過をたどって「かわせみ」おたくの域に達しつつあるこの頃です。

私は、東吾がるいと祝言をあげるまでの通い夫だった頃の、二人のいわゆる「愛し合う場面」が大好きです。長さにして半ページもない程度。決して露骨ではないのがかえってエロティックで特にことがあった次の日の朝のるいの色っぽさときたら……。さらに嘉助やお吉が居間の二人の気配に遠慮して近づかない、なんて描写は、江戸情緒たっぷりの大川端の風景と相まって格別です。

そうして浸っているうちに、この前のこのような場面はどの話に出てきたのだったかな、などということが気になり出し、文庫本を山と積み上げ二人の濡れ場をチェックする始末。本当に困ったものです。

私は血液型A型の女。思いこみとこだわりが激しく、狭く深く物事に没入してしまうタイプです。「かわせみ」初心者の頃は年齢が気になって仕方ありませんでした。るい二十五、六歳、東吾はその一つ下という設定で始まっているのですが、どうも話は現在進行形で進み、私が一つ年をとるのと同じように登場人物も年をとることに気づきました。その時「初春の客」からすでに十五年経っていたので単純に考えればるいはもう四十歳！　お願い、もう年をとらないでと念じるものの、それはかわせみシリーズが終わることを願うことにつながるというジレンマを抱えることになりました。後に平岩弓枝さんが対談で、源三郎家に子供が誕生してから、子供の成長に伴い登場人物も年をとらざるを得なくなったのだとおっしゃっていましたので、これからは皆着実に齢《よわい》を重ねてゆくことになるのでしょう。

かわせみの面々の中で親しみを覚えるのは、香苗というキャラクターです。「親しみを覚える」と言う時、やはり自分と似ているということが根底にあるのだと思います。「理想」と言う時も、全く相反するものではなく、今の自分の延長線上にあるものに自分を重ね合わせて見るのではないでしょうか。るいは魅力的だけれど私と重なる部分はあまりないようです。私の気の合う友人にるいタイプが多いので、るいは私の「親友」としての理想というところでしょうか。私自身はそれよりちょっと引いた感じの香苗様に惹かれます。子供がないせいか若々しく、清楚で、東吾とるいの仲を知らぬと見せて陰でそっと支えた賢い女性。そう、私は香苗様！　ああ、ミーハー的に「かわせみ」を毎月楽しみにする日々はまだまだ続く——。

神林夫妻のようになりたい

在原哲子（富山県）

「御宿かわせみ」が時代物であるにもかかわらずとても身近に感じられるのは、ここに出てくる人達が、現代の私達のまわりにいるごく普通の人々だからだろう。るいは育ちの良いおっとりした奥さんという感じだし、東吾は思いやりのあるやさしい夫という感じ。お吉のような世話好きで話好きで、働き者のおばさんは私の身近にもいる。テーマもまた、ごく普通の人間の心の中にある問題を扱っていて共感がもてる。

悲しい題材や、気が滅入るような題材を扱っても、さほど深刻にならずさらっとして全体として温かみのある話に仕上がっているのは、小説全体をるいと東吾のほのぼのとした愛情で包み込んでいるからだろう。

この若い夫妻がどうしてこんな味を出せるのかといつも思う。

私は結婚して二十一年になる。やっと子供の手も離れて、生活にも少し余裕がでてきて、自分達夫婦のことを考える時間が持てるようになってきた。振り返ってみれば、これまでの二十年間は、仕事と家事と子育てに無我夢中で嵐のように過ぎてしまった。毎日仕事に追いかけられて、何も考える余裕がなかったように思う。世の中がどうなっているのか、自分は何をしたいのか、主人は何を考えているのかなど、たまにふっと疑問に思うこともあったが、それは一時のことですぐに忙しい日常に埋没してしまった。

この頃、主人と二人きりになる機会が増えて、何を話したら良いのだろうかと戸惑う自分達に気がついた。話題に窮して、黙りこくってテレビをみているのが、何とも気まずい。平均寿命が八十歳を超えている今、子供達が自立して、仕事を引退したあとの長い時間を、この人と二人でどうやって過していったらいいのだろうかと考えると不安になってくる。主人も同じように思っているらしく、今までは命令形でしか私に話しかけなかったのに、近頃は命令形のあとに「？」がつくことがたまにある。

そんな時、東吾とるいの間に流れる温かみのある空気がうらやましくなる。「かわせみ」の商売のことや、お客のこと、世間のことなど、お互いを思いやりながら尽きることなく話の弾む二人が眩しい。

何気ない会話の中に二人の愛情の深さや、結びつきの強さが感じられる。

私達もこんな夫婦になりたいものだと思う。まだまだ人生半ばの私達。これからゆっくりと時間をかけて、お互いの理解を深め合い、るい、東吾のような関係を作っていきたい。

「御宿かわせみ」を読んで、そのこつのようなものをつかめたら、と思っている。

妻と読んだ「かわせみ」

太田瑞穂（大阪府）

「『白萩屋敷の月』を読んでたら、何か眠られへんねん」と言いながら、徹夜で或る伝記の原稿を書いている私の部屋へ妻が入ってきた。底冷えのする夜なのに、妻は好みで藍染めの江戸小紋の浴衣を着ている。「白萩屋敷」は別に怖い話でもないが、その中に出てくる香月という人が哀れで、つらくて、胸が苦しくなって、寝つかれないという。

そう言われると、私も読みたくなって、原稿はやめて「白萩屋敷」を読むことにした。妻の持ってきた甘酒を飲みながら、「白萩」だけと思ったのに、ついいつもの癖が出て、妻と二人で、「江戸の子守唄」や、「雪の夜ばなし」、「虫の音」などと読み返して、気のついたときには、窓が白々とした夜明けであった。

「初春の客」のときは、わざと大晦日まで読まずにいて、お正月の支度を全部すませて、「紅白歌合戦」がすんでから読みはじめて元日を迎えるということにした。妻と除夜の鐘を聞きながら「かわせみ」を読んだ思い出が懐しい。

「八丁堀の湯屋」を読んでいた時分である。京都に、そこに出てくる大黒湯にそっくりのお風呂屋さんがあると聞いて、妻と出かけることにした。京の東山三条のあたりにあるその銭湯のたたずまいは、なるほど大黒湯の感じである。これがテレビでもロケに使われたのではないかと思って、しばらく二人で佇んでいた。

そのうちに、妻が「いちどこのお湯に入ってみたい」と言い出した。私も同感である。早速番台でタオルを借りて、お湯に浸かった。もちろん中の様子は江戸のものではないけれども、眼をつむっていると、八丁堀のお湯のような気分になるから不思議である。思わず長湯をしてしまって、歌の「神田川」よろしく妻を表に待たしてしまった。カタコトと石鹸は鳴らなかったけれど……。

「お湯の中で、あの八丁堀の血の湯を思い出して、気持ちがわるくなかったかい」ときくと、妻は「ウウン、ちっとも」と笑って、「ええ気持ちやった」と笑った。お湯の近くで、そこの名物のカレーうどんを食べた。「肉入りカレー」ではちょっと八丁堀の気分には遠いので、せめてと「油揚入りカレー」にした。京阪特急での帰りも楽しかった。

その妻が亡くなって七年、「かわせみ」はなおも続いている。千春ちゃんも可愛いさかりであろう。テレビで妻とよく見た「かわせみ」一家の、東吾をはじめ、るいさん、嘉助、お吉らの人々の生き生きとした姿が、いつも鮮やかに眼に残っている。「御宿かわせみ」のような宿があれば、妻と二人で一度泊まってみたかった。

「そこにあること」の安心

岩本真理子（東京都）

憧れのもとをただせばテレビドラマ。

昨年十七回忌をすませた父の楽しみだった。寡黙で、仕事ばかりしていた。ご贔屓《ひいき》は神林通之進。「この兄さんがいいんだなぁ……」なんだったかの拍子にぼそっといい、とてもいい顔だったのを覚えている。

当時の私の憧れは「るい」さん。名前が好きだった。それは今も変わらない。しなやかでハイカラな形と響きは、和を損なわず洋にも心を開いている。

四年前、文庫本で読んだ二人の名前が、古い記憶を蘇らせてくれた。

シリーズの次を心まちにしているが、懐古の情に浸りたいからではない。

時代考証の制約のなかで選ばれ、そこに的確におかれたであろう風物、登場人物の所作や言葉は、江戸時代の普通の人々の日常を生き生きと浮かび上がらせ、読み進むにつれて「かわせみ」に集散する人々が作りモノであることを忘れさせてしまう。そこで繰り広げられる喜怒哀楽がまるでわが事のように感じられてくる。地方試験場の研究職を勤め、弟、妹あわせて六人の長兄だった父が東吾の兄に託した気持はわからないけれど、通之進と会えてよかったとは心から思える。私はといえば、畝源三郎を仕事上の師と仰いでいる。

江戸が舞台であることのよさは、時代の隔たりが心を遊ばせてくれるところにある。今日的な問題をリアルタイムで読むと、冷めてしまって共感以前のところで全てが停止してしまうことがある。それが、大人が幼子を苛《さいな》み、親が子を、子が親を殺すようなむごい事件でも、江戸と現在との間を繋ぐタイムトンネルをくぐり抜けるうちに、生の感情はほどよく鎮められ、うまく調整されて、抵抗なく問題の核心へと辿り着ける。絡み合う登場人物に思いをはせることもできる。

東吾の剣のように、春風駘蕩として世情を斬る話柄は自然で心地よい。善悪の分別は誠に明確。叱る啖呵も小気味いい。結末は軽快で向日性に富んでいるから、まず楽しめる。

その一方で、四季折り折りの風物に胸のうちを収束させ、答を委ねる結末もあり、正解のないことが世の中にはあることに気づかせてくれる。正義がひとを殺し、嘘がひとを救うこともある。嘘の真実というようなこともあることを知る。ムダのない終わりの数行はかわいた印象さえ与え、安易な優しさなどは霧散してしまう。それが奥行きとなり、スパイスにもなって読む者をますます惹きつける。

江戸は柳橋の紅燈から少しはずれて（ここがいい）、夜霧のなかに小さく浮かんでみえる行燈のあかりは、市井に生きる人々のさまざまな息づかいをそっと照らす。私は宿がそこにあることの安心にみたされる。

歳時記拾い読み

吉澤美基代（埼玉県）

むかし、父が毎月のようにオール讀物を買って、楽しそうに読んでいた。当時の私は、まだ時代小説には興味がなかったのだが、テレビでドラマになった「御宿かわせみ」は見ていた。おるいさんのファンだった父は、東吾さんに「もっといい男なんだがな」と注文をつけていた。きっと私は、ドラマがきっかけで、原作を読み出したのだろうが、若い頃はラブ・ストーリーとして読んでいたように思う。幼なじみで、初恋をそのまま育《はぐく》み結ばれた美男美女のカップルというのは、自分はもとより周囲を見渡してもまずいないので、憧れもあった。情愛が細やかでひたむきだけれど明るく前向きな二人に、読む側は声援を送りたくなる。

脇を固める登場人物がまたいい。嘉助やお吉、源三郎や長助は言うまでもないが、私が意外に魅かれるのは七重という人だ。この人は、ドラマ化されるとたいてい世間知らずなお嬢様として多少意地悪く描かれるのが私には不満で、もっと慎ましく優しく賢い女性なのにと肩を持ちたくなる。七重の点《た》てたお茶を東吾が飲むという場面が二、三回出てくるが、私はその時の二人のやりとりや間というのが雰囲気があって好きだ。東吾の男としてのずるさや弱さが垣間見えて、それがまた違った魅力を引き出している。日常生活の中で、様々な事で気持ちが煮つまってしまった時、抜き差しならない状態になる前に、最悪の事態を回避する知恵とかユーモアというのは、とても大切なものだ。思いとどまり、心に風穴をあける——七重さんはそれができる人で、辛抱した末につかんだ幸せが大きくて、本当に良かったと思う。

　そういう意味で敢えて好きな作品を挙げれば、「忠三郎転生」。緊迫した事件の中で、宗太郎の純情がほほえましいし、「夫にするなら宗太郎さんですよ」と内心思った。あんなお医者さんがいたら、さしずめ私などは大して具合も悪くないのに、顔を見に行って世間話をして帰ってくるのだろう。東吾の隠し子、麻太郎のことで、宗太郎はずい分相談に乗ってあげているが、真実がばれた時は、ぜひ七重に何か語らせてあげてほしい。ばれても、東吾とるいの仲は揺るぎないものだろうが。

　「かわせみ」は歳時記としてもおもしろく、この頃はそういう所を拾い読みすることが多い。それから、たまに出てくる怪談がらみの不思議な話、「夏の夜ばなし」「狐の嫁入り」「星の降る夜」なども、軽妙でおもしろい。不思議なことといえば、一番不思議なのが、「年をとるのが遅いおるいさん」で、野暮な勘定をすると、初回数えの二十五歳で登場したおるいさんは、その後十数回正月を迎えているはずなのに、もっと若いらしい。私とおるいさんの共通点は、夫が年下で高齢出産をしているということだけだが、おるいさんにあやかって、若くいられたらと思う。

好きな人

徳竹登美子（埼玉県）

私には男二人と、女ひとりの子が居ますが、主人は早く亡くなりましたから、再婚の縁談《はなし》が無かったわけではありません。いえ、私はまことに丈夫だし、それなりの容姿なんですけどね、私には、しょせん叶わぬ事だけど、本当のところ好きな人が居るんです。だからどうも、誰方をみても気に入らなくて、え？　あの、其の人ですか、あの、いえ、言っちゃいましょう。講武所の教授方、軍艦操練所勤務の、神道無念流の達人、神林東吾サン。

ええ、其の人なのです。兄サンは、南町奉行所吟味方与力、其の奥サンの香苗サンは、レッキとしたお旗本、麻生源右衛門サンの御長女。

だから、桁が違うんですよ、ね。でもね、惚れた、はれたなんて、生ぬるい感情ではなくて、もう心底、東吾サンが好きなのです。

逢った事もない、みた事もないこの人の顔だちから声まで、私には見えるんです。その伝法な口調の言葉のはしばしからうかがえる其の考え方、思考力に、私はすっかりのぼせちゃって、幼馴染みのおるいさんと、筒井筒のおセンチから、無理は承知の結婚にまで、漕ぎつけた恋の冒険にも、嫉妬はおろか、心から祝福することが出来たンです。

大川端の「かわせみ」の、お吉サン。この人も私はファンのひとりです。おるいサンが、仕合せに居られる、陰の後見者。私はこの、庶民的なお吉サンに、心よりの拍手を惜しみません。これからも、東吾サン、おるいサンを頼みましたよ。

もうひとり、東吾サンの親友、八丁堀同心の畝源三郎サン、この、酸いも甘いも知ってるくせに、真っ直ぐに御用を勤めている、同心の鑑《かがみ》みたいな人――。

私は、こういう人達を、忘れる事が出来ないのですから、再婚なんてマッピラ――。月々、事件が起こり、私は楽しみながらハラハラして、もう何拾年になるでしょう。もともと、スリラー、捕りもの帖が好きですが、事件簿とも申しましょうか、この「御宿かわせみ」を、末長くたのしみにさせて頂きます。

最後に、この物語の中の、それぞれの、会話、言葉づかいに、心より感銘し、魅力を感じている事を付け加えさせて頂きます。

ちなみに、私は今年八十三歳になります皺の多い女です。だから、いくら好きでも、東吾サンにお目にかかり度いとは思わないのです。解るでしょ。これでも女性です――。

るいと七重

浪江由美（大阪府）

「御宿かわせみ」の住人は、他人の事を自分の事のように、喜び、悲しみ、怒る事のできる人々だ。この居心地の良い世界は、私の心を和ませてくれる。この世界に住む女性達が私は好きだ。るい、お吉、香苗、七重。

この女性達は、自分の居場所をしっかり持ち、自分の幸せが何かを知っている。それに彼女達の持つやさしさ。だからこそ、自分の居場所を見失ってしまいそうな時に、彼女達に会うとホッとするのだろう。

特に、私が好きなのは「るい」と「七重」の二人である。東吾をはさんでのライバルでもあったのが、この二人が互いを思いやる姿は、「御宿かわせみ」ならではのものだと思う。

るいが東吾と「祝言」を挙げるまでの二人の関係は、私にとって理想的ともいえる。好きな人をひたすら待ちながらも、自分の生活はきちんと持っている。普段はしっかり者の女将が東吾の前で頼り切っている姿には、女性の持つたくましさと可愛さが、素直な形で現れていて、うらやましい。それに、不安と安心、寂しさと幸福感という二つの間で揺れている姿はとても魅力的。ちょっとしんどいけど、充実感があるのではと思ってしまう。それに、その様子を少し距離をおきながらも、しっかり支えてくれる、お吉や嘉助の存在。本当にうらやましいの一言につきる。そのために、東吾と祝言を挙げてしまってからのるいは、少し物足りなくもある。

反対に、宗太郎と結婚してから、より魅力的に感じられるのが七重。彼女は、本当のお嬢様だが、人一倍思いやりの心を持っている。東吾によせる思いは、現在では死語とも言えそうな「いじらしさ」でいっぱい。姉の香苗に「自分が傷つくのは耐えても、人を傷つけることは……ならぬ」（「江戸の子守唄」）と言われ、泣きながら東吾をあきらめる姿。思わず感情移入してしまい、応援してしまいたくなる。七重が、宗太郎というすてきな男性に出会えた時は、本当にうれしかった。結婚後の七重は、幸せな生活を基盤として、本来彼女が持っていた良いところを、自然に溢れ出させているように思える。七重が登場する場面は、明るくて暖かさに満ちている。ほんの少しの場面でも、こちらの心を和ませるものがある。七重のような女性は、現在では稀有な存在だろう。が、正反対の生き方をしている私の心の中にも、同じ女性として、彼女の生き方に憧れている部分を見つけることができる。

生き方の違いはあっても、るいと七重は、私の心の奥に眠っているある感情を呼びおこし、惹き付けてやまない。

こんな女性に、想われる東吾や宗太郎は、幸せものだと思うのだが、これは私が女性だから思えることなのだろうか。私も、この世界に住んでみたいと思いながら、何度も読み返している。

不倫モノは嫌いだけど

北村悠紀子（京都府）

基本的に不倫を扱った小説は好きではない。たとえトルストイの「アンナ・カレーニナ」にしても、近松の「おさいと権三」にしても、いい気なもんだ、と思う。それでも、不義密通の罪の意識にさいなまれていた古典の世界では、まだしも不倫の意義を認められるけれども、それでも、何をじゃらじゃらと、と思ってしまう。ましてや今日びは、不倫不倫のオンパレードで、罪の意識どころか略奪愛とか称して、奪った者勝ちで、自分達ばかり盛り上って、愛だの恋だのと、それは違うだろうと思ってしまう。又、そう言う小説にかぎって、妻は鬼か蛇の様に描かれている。そりゃ、ローンの心配も、子供がグレる心配も、嫁、姑の問題も、すべて棚の上に上げ、きれいな着物を着て、お花を生けたりお茶を点てたり、話す事は、絵やら音楽。それならいつも美しく、やさしくもしておれますって。

女は鬼や蛇にもなれるが、悲母観音にも、又、なれるのだ。それも多分、夫の一言で……。

私が、「御宿かわせみ」が好きな理由もそこにある。夫が、妻が、それぞれをいたわり、愛し合っている姿を自然に見せてくれるからだ。東吾とるい、通之進と香苗、宗太郎と七重、源三郎と千絵、それぞれにいたわり合って生きている。

東吾が言う。「何があったってそいつを乗り越えて生きるのが夫婦ってものだ。死ぬより苦しくったって夫婦ならそうなけりゃならねえ」

香苗が、妹の気持を知りながらいさめる言葉も悲しく美しい。「東吾様とのことは、承知してはならない……お二人のお邪魔をしてはならない」と。

だから七重が宗太郎と結ばれた時は本当に嬉しかった。

なのに、なぜか、忘れられない一話というと「卯の花匂う」が浮んで来てしまう。母親の不倫の話だ。最後の部分までは登場人物の唯一人にも救いがない。母と男は息子に見つかれば殺される事を覚悟して、それでも助け合って日々おだやかに生きている。息子の方は母親を見つけた時は殺し、自分も死ぬ覚悟で生きている。だから愛する女にも手を出さず、潔癖なまでに己れを律している。今の世の中、これほど純粋に生きられはしない。一種、すがすがしい気持さえする。だからこそ、卯の花の匂い、それだけに心を動かされる事もあるのだろうと思う。生きる事は切なく哀しい。そこが愛しい。

これは不倫の話ではない。男と女の純粋な愛の物語である、と思う。

「かわせみ」を歩く

古田玲子（東京都）

おるいさんは私です。お俠《きゃん》で面倒見がよくて、美人で、一途で、そして、何より、心が強い。東吾さんは私の大事な人です。優しくて、ハンサムで、思いやりがあって、そして誰より強いのです。

いつから、「かわせみ」の登場人物が、私の家族となったのでしょうか。父のように私を大事にしてくれる嘉助さんや、慈しんでくれるお吉さん。安心して頼れる源三郎さんは一番のお友達です。ちょっぴり恐い存在である、お兄さんの通之進様。こんな女性になりたいと思ってしまうお姉さんの香苗さん。かわせみの人達は、いつでも私と一緒に生活しています。

「かわせみ」から歩いて遊びに行ける八幡様がどのくらいの距離なのか、実感してみたくて永代橋から富岡八幡宮まで、歩いてみたことがあります。私はパンツにスニーカーで小さなリュックをしょっていましたが、おるいさんは、ぞうりに着物ですものね、もっとゆっくり、歩いていったのでしょうか。でも、この横小路から、長助さんがとび出してくるんじゃないか、花世ちゃんが、ひげもじゃもじゃに抱っこされてやってくるんじゃないか、と、「かわせみ」の人達と一緒に歩いていきました。本当に百八十年くらい前には、私の渡っているこの橋を、おるいさんが、渡って行ったのかと思うと、胸にじんときます。

現実の私は、太ってて不細工で、東吾さんとは遥かに遠い夫がいます。でも、いじゃない、「かわせみ」を開けば、私はいつでもおるいさんになれるし、東吾さんが恋人になってくれます。人情に厚いみんなに触れていると、心がふっと軽くなります。辛いことがあると何度も「かわせみ」を手に取ります。そうすると「かわせみ」のみんなが、私の心の中のやっかい事をよってたかって解決してくれるのです。

そして、最後には必ず、お吉さんが、おいしいお膳を出してくれます。今日は何のおかずでしょうか。そのままの献立が、我家の夕食になったこともあります。今の日本の食卓に、忘れてしまった味が、「かわせみ」のお膳から香ってくるのです。

悲しいことに、おるいさんも東吾さんも、私もどんどん年を取っていきます。でも子どもたちは成長していきますし、お知り合いは次々と増えていきます。私にとって、いつまでもいつまでも大切にしたい、心のふるさとが「御宿かわせみ」なのです。

「御宿かわせみ」全タイトル

作品名	収録書名
初春《はる》の客	『御宿かわせみ・上』文庫は『御宿かわせみ』 「御宿かわせみ」シリーズ第一作
花冷え	『御宿かわせみ・上』文庫は『御宿かわせみ』 長寿庵の長助登場
卯の花匂う	『御宿かわせみ・上』文庫は『御宿かわせみ』
秋の螢	『御宿かわせみ・上』文庫は『御宿かわせみ』
倉の中	『御宿かわせみ・上』文庫は『御宿かわせみ』
師走の客	『御宿かわせみ・上』文庫は『御宿かわせみ』
江戸は雪	『御宿かわせみ・上』文庫は『御宿かわせみ』
玉屋の紅	『御宿かわせみ・上』文庫は『御宿かわせみ』
江戸の子守唄	『御宿かわせみ・上』文庫は『江戸の子守唄』 「読者が選んだ人気作品」ベスト６　(オール讀物平成８年２月号)
お役者松	『御宿かわせみ・上』文庫は『江戸の子守唄』
迷子《まいご》石《いし》	『御宿かわせみ・上』文庫は『江戸の子守唄』
幼なじみ	『御宿かわせみ・上』文庫は『江戸の子守唄』
宵節句	『御宿かわせみ・上』文庫は『江戸の子守唄』 るい、幼なじみの五井和世と再会
ほととぎす啼く	『御宿かわせみ・上』文庫は『江戸の子守唄』
七夕の客	『御宿かわせみ・上』文庫は『江戸の子守唄』

作品名	収録書名
王子の滝	『御宿かわせみ・上』文庫は『江戸の子守唄』
秋の七福神	『御宿かわせみ・上』文庫は『水郷から来た女』
江戸の初春	『御宿かわせみ・下』文庫は『水郷から来た女』
湯の宿	『御宿かわせみ・下』文庫は『水郷から来た女』
桐の花散る	『御宿かわせみ・下』文庫は『水郷から来た女』
水郷から来た女	『御宿かわせみ・下』文庫は『水郷から来た女』 嘉助の孫娘が誘拐される 「読者が選んだ人気作品」ベスト19
風鈴が切れた	『御宿かわせみ・下』文庫は『水郷から来た女』
女がひとり	『御宿かわせみ・下』文庫は『水郷から来た女』
夏の夜ばなし	『御宿かわせみ・下』文庫は『水郷から来た女』
女主人殺人事件	『御宿かわせみ・下』文庫は『水郷から来た女』
山茶花は見た	『御宿かわせみ・下』文庫は『山茶花は見た』 「読者が選んだ人気作品」ベスト20
女難剣難	『御宿かわせみ・下』文庫は『山茶花は見た』 源三郎、水戸の豪商の娘にほれられたのだが、実は……
江戸の怪猫	『御宿かわせみ・下』文庫は『山茶花は見た』
鴉《からす》を飼う女	『御宿かわせみ・下』文庫は『山茶花は見た』
鬼女	『御宿かわせみ・下』文庫は『山茶花は見た』
ぼてふり安	『御宿かわせみ・下』文庫は『山茶花は見た』

作品名	収録書名
人は見かけに	『御宿かわせみ・下』文庫は『山茶花は見た』
夕涼み殺人事件	『御宿かわせみ・下』文庫は『山茶花は見た』
恋ふたたび	『幽霊殺し』 『オール讀物』連載第１作（昭和57年４月号） おとせ、正吉登場
奥女中の死	『幽霊殺し』
川のほとり	『幽霊殺し』 おとせ、正吉、方月館に落ち着く
幽霊殺し	『幽霊殺し』
源三郎の恋	『幽霊殺し』 源三郎、美しい尼に恋をする
秋色佃島	『幽霊殺し』
三つ橋渡った	『幽霊殺し』
師走の月	『狐の嫁入り』
迎春忍川	『狐の嫁入り』
梅一輪	『狐の嫁入り』
千鳥が啼いた	『狐の嫁入り』
狐の嫁入り	『狐の嫁入り』 「読者が選んだ人気作品」ベスト11
子はかすがい	『狐の嫁入り』

作品名	収録書名
春色大川端	『酸漿は殺しの口笛』
酸漿《ほおずき》は殺しの口笛	『酸漿は殺しの口笛』
玉菊燈籠の女	『酸漿は殺しの口笛』
能役者、清大夫	『酸漿は殺しの口笛』
冬の月	『酸漿は殺しの口笛』
雪の朝	『酸漿は殺しの口笛』
美男の医者	『白萩屋敷の月』 寒井千種こと天野（麻生）宗太郎が初登場
恋娘	『白萩屋敷の月』
絵馬の文字	『白萩屋敷の月』
水戸の梅	『白萩屋敷の月』
持参嫁	『白萩屋敷の月』
幽霊亭の女	『白萩屋敷の月』
藤屋の火事	『白萩屋敷の月』
白萩屋敷の月	『白萩屋敷の月』 「読者が選んだ人気作品」ベスト１
むかし昔の	『一両二分の女』 お吉をたずねて老人がくる
黄《き》菊《ぎく》白《しら》菊《ぎく》	『一両二分の女』

作品名	収録書名
猫屋敷の怪	『一両二分の女』
藍染川	『一両二分の女』
美人の女中	『一両二分の女』
白藤検校《しらふじけんぎょう》の娘	『一両二分の女』
川越から来た女	『一両二分の女』
一両二分の女	『一両二分の女』 「読者が選んだ人気作品」ベスト12
蛍沢の怨霊	『閻魔まいり』
金魚の怪	『閻魔まいり』
露月町・白菊蕎麦	『閻魔まいり』
源三郎祝言	『閻魔まいり』 畝源三郎が千絵と結ばれる「読者が選んだ人気作品」ベスト5
橋づくし	『閻魔まいり』
星の降る夜	『閻魔まいり』
閻魔まいり	『閻魔まいり』
蜘蛛の糸	『閻魔まいり』
神霊師・於とね	『二十六夜待の殺人』
二十六夜《にじゅうろくや》待《まち》の殺人	『二十六夜待の殺人』

作品名	収録書名
女同士	『二十六夜待の殺人』
牡丹屋敷の人々	『二十六夜待の殺人』
源三郎子守歌	『二十六夜待の殺人』
犬の話	『二十六夜待の殺人』
虫の音	『二十六夜待の殺人』
錦秋中仙道《きんしゆうなかせんどう》	『二十六夜待の殺人』
西の市の殺人	『夜鴉おきん』
春の摘み草	『夜鴉おきん』
岸和田の姫	『夜鴉おきん』 「読者が選んだ人気作品」ベスト 4
筆屋の女房	『夜鴉おきん』
夜鴉おきん	『夜鴉おきん』
江戸の田植歌	『夜鴉おきん』
息子	『夜鴉おきん』
源太郎誕生	『夜鴉おきん』 畝家に長男・源太郎が誕生する
夕涼みの女	『鬼の面』
大川の河童	『鬼の面』

作品名	収録書名
麻布の秋	『鬼の面』
忠三郎転生	『鬼の面』
雪の夜ばなし	『鬼の面』 宗太郎と七重の祝言。同日、東吾と琴江が一夜の契り
鬼の面	『鬼の面』
春の寺	『鬼の面』
梅若塚に雨が降る	『神かくし』
みずすまし	『神かくし』
天下祭の夜	『神かくし』
目黒川の蛍	『神かくし』
六阿弥陀道《ろくあみだみち》しるべ	『神かくし』
時雨降る夜	『神かくし』
神かくし	『神かくし』 「読者が選んだ人気作品」ベスト16
麻生家の正月	『神かくし』 麻生家に長女・花世が誕生する
雪女郎	『恋文心中』
浅草天文台の怪	『恋文心中』
恋文心中	『恋文心中』 東吾が講武所と軍艦操練所勤務を命ぜられる

作品名	収録書名
わかれ橋	『恋文心中』
祝言	『恋文心中』 るいと東吾が祝言を挙げる「読者が選んだ人気作品」ベスト3
お富士さんの蛇	『恋文心中』
八朔《はっさく》の雪	『恋文心中』
浮世《うきよ》小路《こうじ》の女	『恋文心中』
ひゆたらり	『八丁堀の湯屋』
びいどろ正月	『八丁堀の湯屋』
黒船稲荷の狐	『八丁堀の湯屋』
吉野屋の女房	『八丁堀の湯屋』
花御《はなみ》堂《どう》の決闘	『八丁堀の湯屋』
煙草屋小町	『八丁堀の湯屋』
八丁堀の湯屋	『八丁堀の湯屋』 「読者が選んだ人気作品」ベスト17
春や、まぼろし	『八丁堀の湯屋』
尾花茶屋の娘	『雨月』
雨月	『雨月』
伊勢屋の子守	『雨月』

作品名	収録書名
白い影法師	『雨月』
梅の咲く日	『雨月』
矢大臣殺し	『雨月』
春の鬼	『雨月』
百千鳥《ももちどり》の琴	『雨月』
念仏踊りの殺人	『秘曲』
松風の唄	『秘曲』
おたぬきさん	『秘曲』
江戸の馬市	『秘曲』
冬の鴉	『秘曲』 お吉をたずねて若侍がくる
目籠《めかご》ことはじめ	『秘曲』
秘曲	『秘曲』 るいが麻生家で麻太郎と出会う　「読者が選んだ人気作品」ベスト14
菜の花月夜	『秘曲』 東吾が宗太郎に、琴江の子・麻太郎は自分の子ではないかと打ち明ける
マンドラゴラ奇聞	『かくれんぼ』

作品名	収録書名
花世の冒険	『かくれんぼ』 麻生家に長男・小太郎が誕生する。永代の元締・文吾兵衛が初登場
残月	『かくれんぼ』
かくれんぼ	『かくれんぼ』 「読者が選んだ人気作品」ベスト10
薬《や》研堀《げんぼり》の猫	『かくれんぼ』
江戸の節分	『かくれんぼ』
福の湯	『かくれんぼ』
一ツ目弁財天の殺人	『かくれんぼ』
花嫁の仇討	『お吉の茶碗』
お吉の茶碗	『お吉の茶碗』 「読者が選んだ人気作品」ベスト8
池の端七軒町	『お吉の茶碗』
汐浜の殺人	『お吉の茶碗』
春桃院門前	『お吉の茶碗』
さかい屋万助の犬	『お吉の茶碗』
怪盗みずたがらし	『お吉の茶碗』
夢殺人	『お吉の茶碗』 「読者が選んだ人気作品」ベスト15

作品名	収録書名
独楽と羽子板	『犬張子の謎』
	「読者が選んだ人気作品」ベスト18
柿の木の下	『犬張子の謎』
	「読者が選んだ人気作品」ベスト 7
犬張子の謎	『犬張子の謎』
	「読者が選んだ人気作品」ベスト 9
鯉魚の仇討	『犬張子の謎』
	「読者が選んだ人気作品」ベスト13
十軒店人形市	『犬張子の謎』
	「読者が選んだ人気作品」ベスト 2
愛宕まいり	『犬張子の謎』
蓮の花	『犬張子の謎』
富貴蘭の殺人	『犬張子の謎』
横浜から出て来た男	『清姫おりょう』
蝦《が》蟇《ま》の油売り	『清姫おりょう』
穴八幡の虫封じ	『清姫おりょう』
阿蘭陀《オランダ》正月《しようがつ》	『清姫おりょう』
月と狸	『清姫おりょう』
春の雪	『清姫おりょう』
清姫おりょう	『清姫おりょう』
猿若町の殺人	『清姫おりょう』

作品名	収録書名
虹のおもかげ	『源太郎の初恋』 東吾が蟬取りをする麻太郎と出会う
笹舟流し	『源太郎の初恋』 るいが子どもを身籠もったことに気づく
迷子の鶏	『源太郎の初恋』
月夜の雁	『源太郎の初恋』
狸穴坂の医者	『源太郎の初恋』
冬の海	『源太郎の初恋』
源太郎の初恋	『源太郎の初恋』 源太郎、花世と事件に遭遇
立春大吉	『源太郎の初恋』 るいと東吾に長女・千春が誕生する
花の雨	『春の高瀬舟』
春の高瀬舟	『春の高瀬舟』
日暮里の殺人	『春の高瀬舟』
伝通院の僧	『春の高瀬舟』
二軒茶屋の女	『春の高瀬舟』
名月や	『春の高瀬舟』
紅葉散る	『春の高瀬舟』 琴江が亡くなる。麻太郎が通之進の養子となる
金波《きんぱ》楼《ろう》の姉妹	『春の高瀬舟』

作品名	収録書名
冬鳥の恋	『宝船まつり』 るいが通之進の養子となった麻太郎を初めて紹介される
西行法師の短冊	『宝船まつり』
宝船まつり	『宝船まつり』
神明ノ原の血闘	『宝船まつり』
大力お石	『宝船まつり』
女師匠	『宝船まつり』 お吉、若い娘に難癖をつけられる
長崎から来た女	『宝船まつり』
大山まいり	『宝船まつり』
老いの坂道	『長助の女房』
江戸の湯舟	『長助の女房』
千手観音の謎	『長助の女房』
長助の女房	『長助の女房』 長助、お上から褒賞をうける。女房おえい大活躍
嫁入り舟	『長助の女房』
人魚の宝珠	『長助の女房』
玉川の鵜飼	『長助の女房』
唐獅子の産着	『長助の女房』

作品名	収録書名
三婆	『横浜慕情』
鬼ごっこ	『横浜慕情』
烏《う》頭坂《とうざか》今昔《こんじやく》	『横浜慕情』
浦島の妙薬	『横浜慕情』
横浜慕情	『横浜慕情』
鬼女の息子	『横浜慕情』
有松屋の娘	『横浜慕情』
橋姫づくし	『横浜慕情』
江戸の植木市	『佐助の牡丹』
梅屋の兄弟	『佐助の牡丹』
佐助の牡丹	『佐助の牡丹』
江戸の蚊帳売り	『佐助の牡丹』
三日月紋の印籠	『佐助の牡丹』
水売り文三	『佐助の牡丹』
あちゃという娘	『佐助の牡丹』 東吾が軍艦操練所教官並に任ぜられ、軍艦操練所専任となる
冬の桜	『佐助の牡丹』 宗三郎、赤ん坊連れの女を助ける

作品名	収録書名
宮戸川の夕景	『初春弁才船』
初春弁才船《はつはるべんざいせん》	『初春弁才船』
辰巳屋おしゅん	『初春弁才船』
丑の刻まいり	『初春弁才船』
桃の花咲く寺	『初春弁才船』
メキシコ銀貨	『初春弁才船』
猫一匹	『初春弁才船』
鬼女の花摘み	『鬼女の花摘み』 麻太郎と源太郎、子供虐待を目撃
浅草寺の絵馬	『鬼女の花摘み』
吉松殺し	『鬼女の花摘み』
白鷺城の月	『鬼女の花摘み』
初春夢づくし	『鬼女の花摘み』 るいの従姉の娘が津軽から訪ねてくる
招き猫	『鬼女の花摘み』 千春、麻太郎、源太郎とともに田螺稲荷にお詣りにいく
蓑虫の唄	『鬼女の花摘み』
夜鷹そばや五郎八	『江戸の精霊流し』平成15年5月刊行予定

作品名	収録書名
野老沢《ところざわ》の肝っ玉おっ母あ	『江戸の精霊流し』平成15年5月刊行予定
昼顔の咲く家	『江戸の精霊流し』平成15年5月刊行予定
江戸の精霊《しょうりょう》流し	『江戸の精霊流し』平成15年5月刊行予定
亥の子まつり	『江戸の精霊流し』平成15年5月刊行予定
北前船から来た男	『江戸の精霊流し』平成15年5月刊行予定
猫絵師勝太郎	『江戸の精霊流し』平成15年5月刊行予定
梨の花の咲く頃	『江戸の精霊流し』平成15年5月刊行予定
十八年目の春	『オール讀物』平成15年2月号
浅妻船さわぎ	『オール讀物』平成15年3月号

初出一覧

「私も心配二人の将来」（「オール讀物」昭和六十三年一月号）
「お吉と長助の人気って凄いわね」（「オール讀物」平成十一年一月号）
「『御宿かわせみ』人名録」（単行本書下し）
「るいが東吾の隠し子に気づく日」（「オール讀物」平成八年二月号）
「おるいさんは女の理想？」（「オール讀物」平成十年二月号）
「歴史家のみた『御宿かわせみ』」（「本の話」平成九年九月号）
「幕末の弁護士的正義」（「本の話」平成九年九月号）
「翡翠の羽は時空を超える」（単行本書下し）
「時の流れる捕物帳」（単行本書下し）
「憧れのひと・おるいさん」（単行本書下し）
「『御宿かわせみ』の食文化」（「オール讀物」平成九年一月号）
「『御宿かわせみ』ここが知りたい！」（「オール讀物」平成十四年二月号）
「私の作家修業時代」（「本の話」平成九年九月号「私と小説とおるいさん」を改題）
「『御宿かわせみ』愛読者エッセイ」（「オール讀物」平成十二年二月号「わたしと御宿かわせみ」を改題）
「『御宿かわせみ』全タイトル」（単行本書下し）
「『かわせみ』ひとくちコラム」（単行本書下し）

単行本　平成十三年三月　文藝春秋刊

文春文庫

「御宿《おんやど》かわせみ」読本《どくほん》

定価はカバーに
表示してあります

2003年4月10日　第1刷
2007年11月20日　第8刷

編　者　平《ひら》岩《いわ》弓《ゆみ》枝《え》

発行者　村上和宏

発行所　株式会社　文藝春秋

東京都千代田区紀尾井町 3-23　〒102-8008
TEL 03・3265・1211
文藝春秋ホームページ　http://www.bunshun.co.jp
文春ウェブ文庫　http://www.bunshunplaza.com

落丁、乱丁本は、お手数ですが小社製作部宛お送り下さい。送料小社負担でお取替致します。

印刷・凸版印刷　製本・加藤製本

Printed in Japan
ISBN4-16-721779-1

文春文庫

平岩弓枝の本

品切の節はご容赦下さい。

平岩弓枝
御宿かわせみ

「初春の客」「花冷え」「卯の花匂う」「秋の蛍」「倉の中」「師走の客」「江戸は雪」「玉屋の紅」の全八篇を収録。江戸大川端の小さな旅籠「かわせみ」を舞台とした人情捕物帳シリーズ第一弾。

ひ-1-81

平岩弓枝
江戸の子守唄
御宿かわせみ2

表題作ほか、「お役者松」「迷子石」「幼なじみ」「宵節句」「ほととぎす啼く」「七夕の客」「王子の滝」の全八篇を収録。四季の風物を背景に、下町情緒ゆたかに繰りひろげられる人気捕物帳。

ひ-1-82

平岩弓枝
水郷から来た女
御宿かわせみ3

表題作ほか、「秋の七福神」「江戸の初春」「湯の宿」「桐の花散る」「風鈴が切れた」「女がひとり」「夏の夜ばなし」「女主人殺人事件」の全九篇。旅籠の女主人るいと恋人で剣の達人・東吾の活躍。

ひ-1-84

平岩弓枝
山茶花《さざんか》は見た
御宿かわせみ4

表題作ほか、「女難剣難」「江戸の怪猫」「鴉を飼う女」「鬼女」「ぼてふり安」「人は見かけに」「夕涼み殺人事件」の全八篇。女主人るい、恋人の東吾とその親友・畝源三郎が江戸の悪にいどむ。

ひ-1-85

平岩弓枝
幽霊殺し
御宿かわせみ5

表題作ほか、「恋ふたたび」「奥女中の死」「川のほとり」「源三郎の恋」「秋色佃島」「三つ橋渡った」の全七篇。江戸の風物と人情、そして、「かわせみ」の女主人るいと恋人の東吾の色模様も描く。

ひ-1-86

平岩弓枝
狐の嫁入り
御宿かわせみ6

表題作ほか、「師走の月」「迎春忍川」「梅一輪」「千鳥が啼いた」「子はかすがい」の全六篇を収録。美人で涙もろい女主人るい、恋人の東吾、幼なじみの同心・畝源三郎の名トリオの活躍。

ひ-1-88

文春文庫

平岩弓枝の本

（　）内は解説者。品切の節はご容赦下さい。

鬼の面
平岩弓枝
御宿かわせみ13

節分の日の殺人、現場から鬼の面をつけた男が逃げて行った。表題作の他「麻布の秋」「忠三郎転生」「春の寺」など全七篇。大川端の御宿「かわせみ」の面々による人情捕物帳。（山本容朗）

ひ-1-95

神かくし
平岩弓枝
御宿かわせみ14

神田界隈で女の行方知れずが続出する。神かくしはとかく色恋のつじつまあわせに使われるというが……東吾の勘がまたも冴える。御宿「かわせみ」の面々がおくる人情捕物帳全八篇収録。

ひ-1-97

恋文心中
平岩弓枝
御宿かわせみ15

大名家の御後室が恋文を盗まれ脅される。八丁堀育ちの血が騒ぎ、東吾がまたひと肌脱ぐも……。表題作ほか、るいと東吾が晴れて夫婦となる「祝言」「雪女郎」「わかれ橋」など全八篇収録。

ひ-1-98

八丁堀の湯屋
平岩弓枝
御宿かわせみ16

八丁堀の湯屋には女湯にも刀掛がある、という八丁堀七不思議の一つが悲劇を招く。表題作ほか、「ひゆたらり」「びいどろ正月」「煙草屋小町」など全八篇。大好評の人情捕物帳シリーズ。

ひ-1-99

雨月
平岩弓枝
御宿かわせみ17

生き別れの兄を探す男が、「かわせみ」の軒先で雨宿りをしていた。兄弟は再会を果たすも、雨の十三夜に……。表題作ほか「尾花茶屋の娘」「春の鬼」「百千鳥の琴」など全八篇を収録。

ひ-1-100

秘曲
平岩弓枝
御宿かわせみ18

能楽師・鷺流宗家に伝わる一子相伝の秘曲を継承した美少女に魔の手が迫る。事件は解決をみるも、自分の隠し子らしき男児が現われ、東吾は動揺する。「かわせみ」ファン必読の一冊！

ひ-1-101

（ ）内は解説者。品切の節はご容赦下さい。

平岩弓枝
江戸の精霊流し
御宿かわせみ31
「かわせみ」に新しくやって来た年増の女中おつまの生き方と精霊流しの哀感が胸に迫る表題作ほか、「夜鷹そばや五郎八」「野老沢の肝っ玉おっ母あ」「昼顔の咲く家」など全八篇収録。
ひ-1-103

平岩弓枝編
「御宿かわせみ」読本
累計一千万部を突破した人気シリーズの魅力を著者インタビュー、新珠三千代や名取裕子、沢口靖子などを交えた座談会、蓬田やすひろの絵入り名場面集、地図などで徹底紹介した一冊。
ひ-1-79

平岩弓枝
女の顔（上下）
異国にあって日本人であることを強烈に感じさせる女――戦中を生き抜いてきた重荷を背負った女の波乱に富んだ青春と、男によって変ってゆく〝女の顔〟をドラマチックに描くロマン。
ひ-1-1

平岩弓枝
彩の女（上下）
白は花嫁の色。女はこの日からさまざまな色に染められてゆく。禁じられた恋に身を灼いて、それぞれの人生をいろどってゆく母娘二代の哀しい愛と性を描き出した長篇ロマン。
ひ-1-3

平岩弓枝
鏨師《たがねし》
無銘の古刀に偽銘を切り高値な刀剣に見せかける鏨師と、それを見破る鑑定家の闘いを描く直木賞受賞作など初期短篇集。「鏨師」「神楽師」「狂言師」「狂言宗家」等全五篇収録。（伊東昌輝）
ひ-1-5

平岩弓枝
藍の季節
若い女性の愛、ハイミスの恋、本妻と二号との関係、嫁と姑の確執など、さまざまな女の愛憎を鮮やかに描いた傑作短篇集。――「藍の季節」「白い毛糸」「本妻さん」「下町育ち」「意地悪」収録。
ひ-1-7

文春文庫

平岩弓枝の本

（　）内は解説者。品切の節はご容赦下さい。

火の航跡
平岩弓枝

夫の失踪、身辺に連続する殺人事件と、それらを結ぶ有田焼の航跡の謎。久仁子は、謎を求めてギリシャへ、そしてメキシコへ飛ぶ。壮大なスケールで展開するサスペンス・ロマン。

ひ-1-12

女の旅
平岩弓枝

洋画家の娘・美里は語学に堪能なツアー・コンダクター。平泉、東京、ニューヨークを舞台に、初恋に揺れる若い女心と、情事に倦みながらも嫉妬する中年女の心理を描く。（伊東昌輝）

ひ-1-13

女の家庭
平岩弓枝

気働きのない姑にオールドミスの小姑と同居するエリート社員の妻が家庭内のトラブルに疲れた頃、夫の浮気を知る。しかし平凡な家庭を守るために耐えた。翔べない女の幸せを問う長篇。

ひ-1-16

女の河（上下）
平岩弓枝

秘書から社長夫人になった美也子をめぐる人間模様。日本とイタリヤを舞台に、巨大な社会機構と愛憎渦巻く人の世の濁流に翻弄される女たちの哀しい愛を描いた長篇。（大野木直之）

ひ-1-18

女の幸福
平岩弓枝

初恋を胸に秘めて耐えてきた優しい女・千加子。戦前、戦中、戦後を通して、優しさ故に苛酷な運命に翻弄される人生を歩む主人公を描いて、女の真の幸せを問うた長篇。（藤田昌司）

ひ-1-20

日蔭の女（上下）
平岩弓枝

芸者で二号の母、バー経営の姉、そんな人生に反発した主人公は、優秀な麻酔医となったが、許されざる愛に身をゆだね、母と同じ道を辿る。母娘二代〝日蔭の女〟の哀しさを綴る。

ひ-1-21

文春文庫

平岩弓枝の本

（　）内は解説者。品切の節はご容赦下さい。

平岩弓枝
他人《ひと》の花は赤い

美貌の隣人に懸想し妻子の留守中に束の間の情事を楽しんだその顚末は。表題作など切れ味抜群の作品集。「春よ来い」「非行少女」「つきそい」「異母兄妹」「稚い墓」他八篇収録。（伊東昌輝）

ひ-1-23

平岩弓枝
午後の恋人（上下）

夫の愛人に子供が出来て離婚した明子は、四十にして歩き始めた第二の人生が、これ程華やいだものになるとは思わなかった。三人の男に言い寄られる女盛りの恋を描く。（高橋昌也）

ひ-1-24

平岩弓枝
女たちの海峡

華道の師範代・麻子は、義弟とその友人から同時に愛を告白された。どちらを受け入れるにせよ、まず出生の秘密を質さねばと、激しく揺れる女心は母を追ってスペインへ。

ひ-1-26

平岩弓枝
女たちの家（上下）

突然夫に死なれた世間知らずの女主人公が、生さぬ仲の一人息子とのトラブルを経て、ペンション経営で老後の自立を計ってゆく姿を描きつつ、女の幸せとは何かを模索する長篇。

ひ-1-27

平岩弓枝
花の影

佐保子の生涯を賭けた恋は、陽光に映え、風雨に耐えて美しく散った。桜の花の一日を八つに分けて、主人公の十代から八十代までになぞらえ、驕りの春に咲く恋の明暗を描く。

ひ-1-29

平岩弓枝
色のない地図（上下）

数奇な運命をたどる日中混血美女の悲恋。香港に亡命し、ヨーロッパで暮らすもと上海大富豪の娘を主人公に、二人の日本青年の愛を、パリ、モナコ、中国、東京を舞台に描く。

ひ-1-30

文春文庫

平岩弓枝の本

（　）内は解説者。品切の節はご容赦下さい。

平岩弓枝
あした天気に（上下）

修学旅行にまで心配でついていく——一人娘への男親の愛情も度を越すと、なにかと問題続出。その娘がいよいよ嫁に、父は当然放心状態。笑いと涙で綴る〝貰いっ子・ちづる〟の物語。

ひ-1-32

平岩弓枝
へんこつ（上下）

「八犬伝」の作者・滝沢馬琴は偏屈で反骨精神の旺盛な男だ。犬を連れた謎の美女をめぐる奇怪な事件に関わりをもった彼の好奇心は、遂に幕府黒幕の金脈を暴く。作家魂を描く意欲作。

ひ-1-35

平岩弓枝
湖水祭（上下）

ノルウェイで出会った謎の女性に再会した日から、長谷兵庫は建築会社の社長一族にまつわる奇怪な殺人事件にまきこまれる。白夜の北欧に展開するミステリー・ロマン。（伊東昌輝）

ひ-1-38

平岩弓枝
祝婚歌（上下）

娘は妻ある人を恋し、夫は秘書とオフィスラブ、弟は友人の妻と不倫の仲。貞淑な主婦が四十を越えて迎えた波瀾万丈を、東京・成城と軽井沢のテニスクラブを舞台に描く。（伊東昌輝）

ひ-1-40

平岩弓枝
小さくとも命の花は

とても育つまいと思われた未熟児の小さな命が、幾度かの危機を克服して奇跡的に育った。嫁姑の葛藤、家庭内のトラブルをのりこえて、一つの命を守る涙と感動の力作。

ひ-1-43

平岩弓枝
かまくら三国志（上下）

北条氏は将軍頼家の命を狙い源家の衰退を図る。頼朝の落胤・智太郎は宗像水軍を従え立ち向かう。水軍、朝廷、鎌倉幕府の関係をめぐる日本裏面史に挑む著者初の歴史長篇。（伊東昌輝）

ひ-1-45

平岩弓枝の本

（　）内は解説者。品切の節はご容赦下さい。

絹の道
平岩弓枝

商社の御曹司と人気デザイナー一族、それぞれの絹への熱い思いが、新しい愛を生む。イタリア、スイス、日本、香港を舞台に、シルクを愛した男と女が繰り広げる芳醇なるロマン。

ひ-1-64

水鳥の関（上下）
平岩弓枝

新居宿の本陣の娘お美也は亡夫の弟と恋に落ち、やがて妊《みご》もるが、愛する男は江戸へ旅立ち、思い余ったお美也は関所破りを試みる。波瀾に満ちた「女の一生」を描く時代長篇。（藤田昌司）

ひ-1-69

若い真珠
平岩弓枝

何不自由なく育った奈知子と、母の死により上京して働く久美。久美は、好意を寄せる次郎と奈知子の仲を裂こうとするが、思わぬ事件に……。「女学生の友」連載の幻の少女小説。（伊東昌輝）

ひ-1-74

妖怪
平岩弓枝

水野忠邦の懐刀として天保の改革に尽力しつつも、改革の頓挫により失脚した鳥居忠耀。〝妖怪〟という異名まで奉られた悪役の実像とは？　官僚という立場を貫いた男の悲劇。（櫻井孝頴）

ひ-1-75

獅子の座　足利義満伝
平岩弓枝

室町幕府の全盛を築いた将軍・足利義満。天皇の地位をも脅かし北山文化を繁栄させた栄華の裏で、乳人への秘めた恋心に苛まれていた。新たな視点で人間・義満を描く渾身の長篇。（伊東昌輝）

ひ-1-80

下町の女
平岩弓枝

東京下谷の名妓寿福は美人で気っぷがよくて涙もろい。だが娘の桐子は芸者になるのを嫌って大学へ行ってしまった。さびれゆく花柳界を舞台に、母と娘の愛情と心意気とを描く長篇。

ひ-1-10